KB055011

주한미군지위협정(SOFA)

노무 · 시설 분과위원회 2

주한미군지위협정(SOFA)

노무 · 시설 분과위원회 2

한국학술정보

| 머리말

미국은 오래전부터 우리나라 외교에 있어서 가장 긴밀하고 실질적인 우호 · 협력관계를 맺어온 나라다. 6 · 25전쟁 정전 협정이 체결된 후 북한의 재침을 막기 위한 대책으로서 1953년 11월 한미 상호방위조약이 체결되었다. 이는 미군이 한국에 주둔하는 법적 근거였고, 그렇게 주둔하게 된 미군의 시설, 구역, 사업, 용역, 출입국, 통관과 관세, 재판권 등 포괄적인 법적 지위를 규정하는 것이 바로 주한미군지위협정(SOFA)이다. 그러나 이와 관련한 협상은 계속된 난항을 겪으며 한미 상호방위조약이 체결로부터 10년이 훌쩍 넘은 1967년이 돼서야 정식 발효에 이를 수 있었다. 그럼에도 당시 미군 범죄에 대한 한국의 재판권은 심한 제약을 받았으며, 1980년대 후반 민주화 운동과 함께 미군 범죄 문제가 사회적 이슈로 떠오르자 협정을 개정해야 한다는 목소리가 커지게 되었다. 이에 1991년 2월 주한미군지위협정 1차 개정이 진행되었고, 이후에도 여러 사건이 발생하며 2001년 4월 2차 개정이 진행되어 현재에 이르고 있다.

본 총서는 외교부에서 작성하여 최근 공개한 주한미군지위협정(SOFA) 관련 자료를 담고 있다. 1953년 한미 상호방위조약 체결 이후부터 1967년 발효가 이뤄지기까지의 자료와 더불어, 이후 한미 합동위원회를 비롯해 민 · 형사재판권, 시설, 노무, 교통 등 각 분과위원회의 회의록과 운영 자료, 한국인 고용인 문제와 관련한 자료, 기타 관련 분쟁 자료 등을 포함해 총 42권으로 구성되었다. 전체 분량은 약 2만 2천여 쪽에 이른다.

2024년 3월

한국학술정보(주)

| 일러두기

· 본 총서에 실린 자료는 2022년 4월과 2023년 4월에 각각 공개한 외교문서 4,827권, 76만 여 쪽 가운데 일부를 발췌한 것이다.

· 각 권의 제목과 순서는 공개된 원본을 최대한 반영하였으나, 주제에 따라 일부는 적절히 변경하였다.

· 원본 자료는 A4 판형에 맞게 축소하거나 원본 비율을 유지한 채 A4 페이지 안에 삽입하였다. 또한 현재 시점에선 공개되지 않아 '공란'이란 표기만 있는 페이지 역시 그대로 실었다.

· 외교부가 공개한 문서 각 권의 첫 페이지에는 '정리 보존 문서 목록'이란 이름으로 기록물 종류, 일자, 명칭, 간단한 내용 등의 정보가 수록되어 있으며, 이를 기준으로 0001번부터 번호가 매겨져 있다. 이는 삭제하지 않고 총서에 그대로 수록하였다.

· 보고서 내용에 관한 더 자세한 정보가 필요하다면, 외교부가 온라인상에 제공하는 『대한민국 외교사료요약집』 1991년과 1992년 자료를 참조할 수 있다.

| 차례

머리말 4

일러두기 5

SOFA 한.미국 합동위원회 노무분과위원회, 1982 7

SOFA 한.미국 합동위원회 - 노무분과위원회, 1990-91 47

SOFA 한.미국 합동위원회 - 시설구역분과위원회, 1980-81 253

SOFA-한.미국 합동위원회 시설분과위원회, 1982 315

정/리/보/존/문/서/목/록					
기록물종류	문서-일반공문서철	등록번호	17757	등록일자	2001-06-01
분류번호	729.414	국가코드		주제	
문서철명	SOFA 한·미국 합동위원회 노무분과위원회, 1982				
생산과	안보과	생산년도	1982 - 1982	보존기간	영구
담당과(그룹)	미주	안보	서가번호	--	
참조분류					
권차명					
내용목차	* 주한미군 근무 한국인 근로자 노동권				

마/이/크/로/필/름/사/항				
촬영연도	*롤 번호	화일 번호	후레임 번호	보관함 번호

1982. 4. 19 The Stars and Stripes

Reagan asked to step into labor-SOFA issue

By Dwight Trimmer
PS&S Washington Bureau Chief

WASHINGTON — The Pentagon has asked President Reagan to restrict collective bargaining rights for American federal workers overseas, saying they conflict with Status of Forces (SOFA) agreements with foreign governments and endanger national security.

The Pentagon proposal is a result of a number of union-SOFA conflict cases, including one in which federal workers in South Korea went to the Federal Labor Relations Authority (FLRA) after the Army rejected a union request for negotiations aimed at changing a list of rationed items at military exchanges and increasing the number of private vehicles allowed duty-free entry into Korea.

The restrictions are often drawn up to try to protect fledging industries in host countries from competition from goods purchased in base exchanges, then resold on the local economy.

Local 1363 of the National Federation of Federal Employees (NFFE) in Korea won its case before the FLRA. Pentagon officials are afraid

See ORDER, Page 7

● From Page 1

that if the FLRA ruling is enforced, relations with South Korea will be jeopardized. Pentagon officials also said the ruling, if enforced, will jeopardize overseas agreements with countries besides Korea.

The proposed executive order from Reagan would prevent U.S. government employees from being able to go to neutral third parties — such as the FLRA — to obtain mediation in a labor dispute. The order would make the Defense Department the sole arbitrator in such disputes.

If that happens, Overseas Education Association President Jack Rollins said, federal workers outside the United States may as well "pack their bags and go home." The OEA represents some 6,500 teachers in Defense Department schools.

Union officials fear the military might refuse to negotiate a broad list of items "supposedly impacting (on) SOFA agreements." Rollins said the unions aren't trying to negotiate SOFA pacts, only questioning how some provisions in them are carried out.

The Pentagon response is that the "very narrowly drawn" proposal isn't an attempt to disturb collective bargaining, only to control labor disputes that officials feel could be a threat to host country relations. The Defense Department added that it would ask the State Department for advice in arbitrating such disputes.

NFFE President James M. Pierce said a ban on third-party arbitration would make negotiations a charade.

In arguing against an executive order, Pierce told Office of Management and Budget (OMB) Director David A. Stockman: "Mere conflict between a local union and local management cannot be construed as a threat to national security."

The case in Korea pitted 325 workers against the local command, which refused to agree to negotiations on such matters as the ration control list because they were "not a condition of employment."

The Justice Department, on behalf of the Army, has appealed the FLRA decision to the U.S. Circuit Court of Appeals.

The Defense Department has sent the proposed executive order to the OMB, which is circulating it through federal agencies for comment.

Pointing out that executive orders are almost impossible to challenge in court, union officials hope to change minds in the administration before such an order is issued. Union lawyers and lobbyists said they plan to carry their arguments to Congress and — though their chances of success might be slim — to the courts as a last resort.

미국무성, 레이건 大統領에게 海外美聯邦 勞動者(군속)의 단체교섭권을 제한해줄것을 요청

2

SOFA.

동아일보
(1982. 4. 30.)

美軍부대 근무 韓人
시간단축 항의 파업

미군 부대에 근무하는 한국인 근로자 3백여명이 부대측이 근로시간을 줄여 임금을 낮추려한다고 주장하면서 파업에 들어갔다.

京畿도 坡州와 東豆川지역 미군부대에 근무하는 외기노조 소속 한국인 근로자 3백여명은 부대측이 근무시간을 주 40시간에서 32시간으로 줄이자 이에 반발, 30일 아침부터 출근을 거부했다.

3

JOINT COMMITTEE
UNDER
THE REPUBLIC OF KOREA AND THE UNITED STATES
STATUS OF FORCES AGREEMENT

12 June 1984

Mr. LEE Yang
Republic of Korea
SOFA Secretary

Dear Mr. LEE:

I have the honor of informing you of a change, effective this date, in the composition of the United States component of the Labor Subcommittee.

The US Joint Committee Representative has designated the United States Chairman of that subcommittee the Director, Office of Civilian Personnel, USFK. The incumbent in that position is Mr. Hugh L. Shirley, who heretofore has served as Secretary of the Labor Subcommittee. The new Secretary of the Labor Subcommittee will be Mr. Robert L. Opedal, whose primary assignment is as Chief of the Compensation and Management Division of the Civilian Personnel Office, USFK.

The basis for this change is that the Civilian Personnel Director actually conducts virtually all negotiations and consultations with the Republic of Korea component members of the Labor Subcommittee, thus, it is both logical and appropriate that he serve as the US Chairman of that subcommittee.

This change does not affect the composition of the US component of the Joint Committee. The Deputy Chief of Staff, USFK/EUSA, will continue to serve on the Joint Committee as the US Army component representative on the Joint Committee in a role similar to that of the US Navy and Air Force component representatives. With the imminent departure of COL Hunt, however, it is not anticipated that a new Deputy Chief of Staff will be assigned on a permanent basis until approximately September 1984. In the interim, COL John H. Blewett, the Provost Marshal, USFK, will serve as Acting Deputy Chief of Staff and probably will attend the 29 June 1984 Joint Committee meeting. The new Deputy Chief of Staff will be introduced at the first Joint Committee meeting after his arrival in Korea.

Respectfully,

Carroll B. Hodges
CARROLL B. HODGES
United States
SOFA Secretary

CF:
ROK Chairman, Labor Subcommittee
US Chairman, Labor Subcommittee

4.

安保課

(外務部가 할수 있는 일이 무엇인지 검토)

1. 駐韓美軍勞組 爭議의 解決節次

제1단계: 勞動廳에 回附, 調停

제2단계: SOFA 合同委에 回附
(合同委는 特別委員會에 回附 可能)

제3단계: 合同委 自体 解決.
同 決定 拘束力

2. 正常勤務 妨害 禁止

爭議가 合同委 回附후 적어도 70日의 期間이 경과하지 아니하는 限 禁止

3. 美軍에 의한 일방적 解雇權 여부.

○ 美軍은 韓國 勞動關係 法令 준수의무

○ 美軍 立場는 "雇傭을 繼續하는 것이 合衆國 軍隊의 軍事上의 必要에 背馳되는 경우에는" 언제든지 解雇 可能

○ 근로자의 진정은 [illegible] 韓國法令 適用 合同委 回附.

5

駐韓美軍勞組 傘下크럽 從業員, 臨時職 轉換에 따른 紛糾 調整策 緊要

概　　要

○ 駐韓美軍勞組 傘下 議政府, 東豆川, 坡州등 3個支部(組合員 2,581名)는 駐韓美2師團側이 豫算節減등을 理由로 5.9字 款下 45個크럽 正規從業員 284名中 66名을 減員, 臨時職으로 轉換한것을 通告한데 反撥

○ 勞組側은 駐韓美軍 司令官을 相對로 爭議를 提起할 計劃으로 있고 一部크럽 從業員은 4.30 出勤을 拒否하는등 勞使間 摩擦이 深化되고있어

○ 放置時 反美感情으로 變質될 憂慮가 있으므로

6

勞動部 및 外務部에서 直接介入, 紛糾 早期 收拾策이 緊要視됨

(1) 現 況

○ 駐韓美軍勞組 (委員長 金鎭協, 組合員 17,294名) 傘下

△ 議政府支部 (支部長 張樹德, 組合員 892 名)

△ 東豆川支部 (支部長 車元益, 組合員 941 名)

△ 坡州支部 (支部長 朴聖穆, 組合員 748 名)

등 3 個支部는 82.4.23 駐韓美 2 師團 (師團長 젬스 존손少將) 側이 豫算節減을 理由로 隷下 45 個크럽 (將校 13 個, 下士官 32 個) 正規從業員 284 名 (臨時職 424 名 包含, 總 708 名) 中

7

20年以上 長期勤續者 66名을 減員，臨時職으로 轉換한것을 通告함에 따라

○ 4.27 美2師團크럽 總支配人室에서 同師團後方 支援司令官，民事處長，3個勞組 支部長이 參席，勞使協議會를 開催하고 美2師團側에 臨時職 轉換計劃의 撤回를 要求하였으나 將校 및 下士官크럽의 統廢業등으로 減員은 不可避하다고 一蹴하고 來5。9限 臨時職 轉換 同意書에 署名 捺印을 하지 않을境遇 一方的으로 轉換措置할것을 固執함으로써 決裂되자

○ 駐韓美軍勞組는 今明間 美8軍司令官을 相對로 爭議를 提起할 計劃으로 있고 3個支部 傘下 크럽 從業員들은 爭議提起

8

(冷却期間 70日, 韓美軍隊 地位協定 第17條)
등의 時間的 餘裕가 없다고 4.30 一部
從業員 (約 80名)이 出勤을 拒否하고 있음

※ 正規職에서 臨時職으로 轉換時

- 作業時間 短縮으로 賃金低下 (週 40時間에서 32時間으로)

- 退職金 및 子女學資金 (登錄金의 70%) 未支給

- 醫療保險 對象에서 除外

(2) 問 題 點

○ 그럼 從業員들의 出勤拒否등 不法爭議 行爲가 長期化될 境遇 韓美友互에 龜裂 招來

○ 駐韓 美軍側에서 不法爭議 行爲등을 理由로

9

解雇時 集團失職 및 反美感情으로 變質憂慮

○ 駐韓美軍勞組의 支援으로 紛糾擴大 乃至 問題宗教團體에서 反美宣傳 資料로 惡用憂慮

(3) 考慮할 수 있는 對策

○ 勞組側에 集團出勤 拒否行爲는 不法임을 警告, 韓美軍隊地位協定에 依據 爭議提起등 適法節次로 妥結誘導

○ 勞動部 및 外務部에서 直接介入, 勞使雙方調停등 紛糾 早期收拾

○ 不法 爭議行爲 主動者 依法措置

10

미군 부대 한국 노무자 노동권

1. 주한 미군 노조쟁의의 해결 절차

제 1단계 : 노동청에 회부, 조정

제 2단계 : SOFA 합동위에 회부
(합동위는 특별위원회에 회부 가능)

제 3단계 : 합동위 자체해결
(동 결정 구속력)

2. 정상업무 방해 금지

쟁의가 합동위 회부후 적어도 70일의 기간이 경과하지 아니하는 한 금지

3. 미군에 의한 일방적 해고권 여부

- 미군은 한국 노동 관계 법령 준수 의무.
- 미국정부는 "고용을 계속하는 것이 합중국 군대의 군사상의 필요에 배치되는 경우에는"언제든지 해고 가능.
- 군사상의 필요에 따라 한국법령 준수 불가능시 합동위 회부 결정.

11

미 8군 한국인 노무자 조합 임금 인상 요구

쟁의 관련 검토

1. 요구 내용 :

- 노조측 : 16.5% 인상 (처음 30%)
- 미 측 : 9.4 %

노조측 주장 관철 불능시 6. 20. 기해 파업 돌입 결정

2. SOFA 상의 노무 관련 규정

가. 노동쟁의 해결 절차

- 제 1단계 : 노동청에 회부, 조정
- 제 2단계 : SOFA 합동위에 회부
  (합동위는 특별위원회에 회부 가능)
- 제 3단계 : 합동위 자체 해결 (동 결정 구속력)
- 제 4단계 : 한국정부 관계관과 미국 외교사절간 협의

나. 정상 업무 방해 금지

쟁의가 합동위 회부후 적어도 70일의 기간이 경과하지 아니하는한 정상업무 방해 금지

12

다. 미군에 의한 일방적 해고권 여부

- o 미군은 한국 노동 관계 법령 준수 의무.
- o 미국정부는 "고용을 계속하는 것이 합중국 군대의 군사상의 필요에 배치되는 경우에는" 언제든지 해고 가능.
- o 군사상의 필요에 따라 한국법령 준수 불가능시 합동위 회부 결정

3. 외무부 조치 사항

- 제 1단계 : 외교 실무선에서 해결 종용
- 제 2단계 : 합동위 회부, 결정 (특별위원회 구성)
  단, 동 방안은 70일간의 노동쟁의 유보 조항 때문에 노무자측에 불리

13

(Ageed Minutes) ARTICLE XVII

1. ....
....

2. The undertaking of the Government of the United States to conform to the provisions of labor legislation of the Republic of Korea does not imply any waiver by the Government of the United States of its immunities under international law. The Government of the United States may terminate employment at any time the continuation of such employment is inconsistent with the military requirements of the United States armed forces.

3. ....
....

4. When employers cannot conform with provisions of labor legislation of the Republic of Korea applicable under this Article on account of the military

14

requirements of the United States armed forces, the matter shall be referred, in advance, to the Joint Committee for consideration and appropriate action. In the event mutual agreement cannot be reached in the Joint Committee regarding appropriate action, the issue may be made the subject of review through discussions between appropriate officials of the Government of the Republic of Korea and the diplomatic mission of the United States of America.

15

미 8군 한국인 노무자 조합 임금인상 요구

쟁의 관련 미주국장 조치 사항

82. 6. 16.

o 주한 미대사관 Cleveland 공사, 82. 6. 16 (목) 10:30 장관 방문 (미주국장 배석).

Cleveland 공사는 현재로서 미측은 10% 정도밖에 인상할 수 없으며 파업 위협을 하지 않는다면 휴가, 학자금등을 포함 조정 교섭에 임할 태세가 되어 있음.

o 조치 사항

- 장관님께서 직접 노동부 장관께 전화를 통해 문제의 중요성을 감안, 노동부 장관이 직접 노동자 대표와 만나 미측과 원만히 타협에 임하도록 해줄 것을 요청.

- 청와대 정무 제 2수석비서관 (김태봉) 에게도 전화로 노동부 장관이 직접 거중 조정에 참여도록 부탁함 (성의표시)

- 청와대 이학봉 수석에게 연락하였던바 동 문제는 정무 제 2수석 소관이라 답변.

16

o SOFA 미측 간사 Dr. Hodges 15:30 안보과장 방문.

- 동건 심각성 설명
- 6. 20. 파업으로 돌입하지 않기를 희망

o 노동부 조치

노동부 장관이 외무장관에게 파업이 무기한 연기되었다고 통보 하여와 미대사관 Cleveland 공사에게 연락함.

17

82.6.16

POINT PAPER

SUBJECT: Potential Work Stoppage by USFK Korean National Employees

BACKGROUND:

- US Law and DOD policy require wages and benefits for local national employees be based on prevailing pay practices in host country.

- This year's survey results:

-- Average increase to base pay 9.4%.

-- Increase tuition assistance 0.7%.

-- Overall average 10.1% - lowest in 20 years.

- ROKG Ministry of Labor and USFK Korean Employees Union briefed on survey results on 25 May.

- Union leaders expressed keen disappointment with size of projected pay increase and threatened work stoppage.

- ROKG wage guideline 10%.

- ROKG information indicates 9.4% increase in base pay in construction and transportation industries.

CURRENT STATUS:

- Formal dispute filed by union with Ministry of Labor on 27 May.

- Union claims 17,913 employees participated in strike referendum conducted 10 and 11 June and that 98% voted in favor of strike.

- Union officials proceeding with plans for USFK-wide work stoppage starting 2400 hours, 20 June.

- All USFK Korean employees informed that participation in strike would be in violation of US-ROK SOFA and collective bargaining agreement with union.

- Employees occupying essential positions notified that agreement with ROKG prohibits participation in disruptive labor actions.

- Concerted efforts made to persuade union leaders that strike would be detrimental to their interests and to interests of Korean employees.

- Assistance in preventing strike requested during discussions with ROKG Ministry of Labor officials.

18

SOFA DISPUTE PROCEDURES:

- Dispute which cannot be settled referred to Ministry of Labor for conciliation.
- If dispute not settled, referred to the Joint SOFA Committee for further conciliation efforts.
- If conciliation efforts fail, the Joint Committee can make binding decision to resolve matter.
- If Joint Committee cannot agree, dispute is referred to ROKG and American Embassy officials. Decision binding on both parties.

PLANS FOR DEALING WITH PARTIES INVOLVED IN STRIKE:

- Union recognition will be withdrawn.
- USFK payroll offices will stop automatic deductions for union dues.
- Union leaders responsible for instigating or leading strike will be issued notices of proposed removal from employment with USFK.
- Employees who fail to report to work during strike will be carried in non-pay (AWOL) status.

IMPACT OF STRIKE ON READINESS:

- Diversion of soldiers from training to support type missions.
- MSCK: Immediate halt to scheduled maintenance. Backlogs start to build from day one.
- PDSK: No repair capability for major problems.
- Supply Points: Immediate slow down in issue and control of all types of supplies.
- 6TH MEDSOM: Medical supplies issued on priority basis only.
- Little if any repair capability of electrical support systems and water purification systems.
- Telephone services impacted immediately. Minimize required.

- Data processing centers become inoperative (key punch operators).

NOTE: Impact on readiness increases and becomes more critical with each successive day of the strike.

PROPOSED ACTIONS:

ACTION	RESPONSIBLE OFFICIAL OR ACTIVITY	PURPOSE
- Letter to Minister of Labor	OCPD	Request support in preventing strike.
- Discussion with Deputy Chief of Mission, American Embassy	Deputy CINC	Inform Embassy of Labor situation and request support in preventing strike.
- Interface with Minister of Labor	American Embassy	Ensure MOL is fully aware of US Gov't's interest and concern in preventing strike.
- Interface with Minister of Foreign Affairs and other ROKG agencies	American Embassy	Express US Gov't's desire to prevent strike.
- Discussion with Minister of National Defense	CINC	Address impact of strike on readiness.

John S. Peppers
JOHN S. PEPPERS
COLONEL, INF
Deputy Chief of Staff

3

20

The USFK Employees Union has taken a vote for a strike starting at 2400 hours on June 20. We are told that union members voted in favor of the strike.

U.S. Law and DOD policy require wages and benefits for local national employees be based on prevailing pay practices in the host country. To determine this we have traditionally conducted an annual survey of Korean wages.

We completed our wage survey of 70 companies in April and May of this year. The results were:

-- Average increase to base pay 9.4 percent.

-- Increase tuition assistance 0.7 percent.

-- Overall average 10.1 percent.

From information we have received, the results of our survey are generally in line with the prevailing trends in country.

Officials in the Ministry of Labor and in the Union were briefed on the results of the wage survey on May 25. The union leaders rejected the results and the union members supported this action in the vote taken. USFK has sent letters to 7,000 key and essential employees advising them not to strike.

The strike as now planned would be illegal under the provisions of SOFA and the labor management contract. If a strike occurs, we would be obligated to take punitive action which could lead to confrontation. We want to avoid this if at all possible.

It is in the best interests of all concerned to avoid such a strike and to follow agreed upon procedures. A strike could:

-- Cause adverse publicity for both the U.S. and the ROK, and could give rise to tensions between Korea and the United States.

-- Seriously impact on U.S. Forces Korea readiness.

-- Do significant damage to USFK/Korean employee relations due to punitive actions that we would be obliged to take.

21

The established SOFA procedure is:

-- Union files a dispute with Ministry of Labor (this has been done).

-- Ministry of Labor attempts to conciliate. If this fails:

-- Dispute is referred to the Joint SOFA Committee where conciliation is attempted and/or an agreement reached that would be binding on both parties. If this fails:

-- Dispute is referred to the Korean government and the American Embassy for discussion.

Accordingly, we hope you will immediately make every effort to pursuade the union leaders to follow the established procedures under the SOFA.

If we are not faced with the threat of a strike, we are prepared to enter into conciliation discussions concerning the general areas of leave, holidays, tuition assistance and wage survey procedures.

6/16/82

22

The USFK Employees Union has taken a vote for a strike starting at 2400 hours on June 20. We are told that union members voted in favor of the strike.

U.S. Law and DOD policy require wages and benefits for local national employees be based on prevailing pay practices in the host country. To determine this we have traditionally conducted an annual survey of Korean wages.

We completed our wage survey of 70 companies in April and May of this year. The results were:

-- Average increase to base pay 9.4 percent.

-- Increase tuition assistance 0.7 percent.

-- Overall average 10.1 percent.

From information we have received, the results of our survey are generally in line with the prevailing trends in country.

Officials in the Ministry of Labor and in the Union were briefed on the results of the wage survey on May 25. The union leaders rejected the results and the union members supported this action in the vote taken. USFK has sent letters to 7,000 key and essential employees advising them not to strike.

The strike as now planned would be illegal under the provisions of SOFA and the labor management contract. If a strike occurs, we would be obligated to take punitive action which could lead to confrontation. We want to avoid this if at all possible.

It is in the best interests of all concerned to avoid such a strike and to follow agreed upon procedures. A strike could:

-- Cause adverse publicity for both the U.S. and the ROK, and could give rise to tensions between Korea and the United States.

-- Seriously impact on U.S. Forces Korea readiness.

-- Do significant damage to USFK/Korean employee relations due to punitive actions that we would be obliged to take.

23

The established SOFA procedure is:

-- Union files a dispute with Ministry of Labor (this has been done).

-- Ministry of Labor attempts to conciliate. If this fails:

-- Dispute is referred to the Joint SOFA Committee where conciliation is attempted and/or an agreement reached that would be binding on both parties. If this fails:

-- Dispute is referred to the Korean government and the American Embassy for discussion.

Accordingly, we hope you will immediately make every effort to pursuade the union leaders to follow the established procedures under the SOFA.

If we are not faced with the threat of a strike, we are prepared to enter into conciliation discussions concerning the general areas of leave, holidays, tuition assistance and wage survey procedures.

6/16/82

24

Korea Herald
(1982. 7. 2.)

USFK officials OK 10.2% pay raise for Korean employees

U.S. Forces Korea officials, at the end of a series of talks with the Korean employees union, yesterday agreed on a new 10.2 percent pay increase for the Korean workers.

Under the accord officially announced by the USFK, total compensation for the Korean employees will rise to an average 10.9 percent. The new wage and benefit package took effect yesterday, the announcement said.

USFK originally planned an average wage increase of 9.4 percent and a total compensation increase averaging 10.1 percent.

Other provisions of the agreement, officials said, included designating Jan. 3 as an additional holiday, allowing union officials to observe the 1983 Locality Wage Survey and special studies of tuition assistance payment and annual leave accumulation practices during the 1983 wage survey.

26

협 조 문	응신기일 198 . . .

분류기호 및 문서번호	국조741- 143	제 목	SOFA 협정관련 의견문의
수 신	미주국장		발신일자:1982. 7. 28.

노동부는 별첨 공문에서 SOFA 협정의 적용을 받는 한국 근로자의 노동쟁의에 아국 노동쟁의 조정법을 적용할 수 있는지에 관하여 문의하여 온바, 당부의견 작성에 참고코자 하니 검토후 귀견을 당국으로 회보하여 주시기 바랍니다.

첨부 : 동 공문사본 1부. 끝.

국 제 기 구 조 약 국 장

1205—8A
1981. 12. 1승인

190mm×268mm(인쇄용지(2급)60g/m²)
조 달 청 (230,000매 인쇄)

26

"정 직, 질 서, 창 조"

노 동 부

법무 811- 19513 (633-8928) 1982. 7. 14.

수신 외무부장관

참조 조약과장

제목 노동쟁의조정법의 적용에 관한 질의

주한미군 또는 그 소속 한국근로자들로 구성된 노동조합의 쟁의행위를 노동쟁의조정법에 적용할 수 있는지에 대하여 질의하오니 회시바랍니다.

첨부 : 1. 질의요지 1부

2. 관계법조문 발췌 1부. 끝.

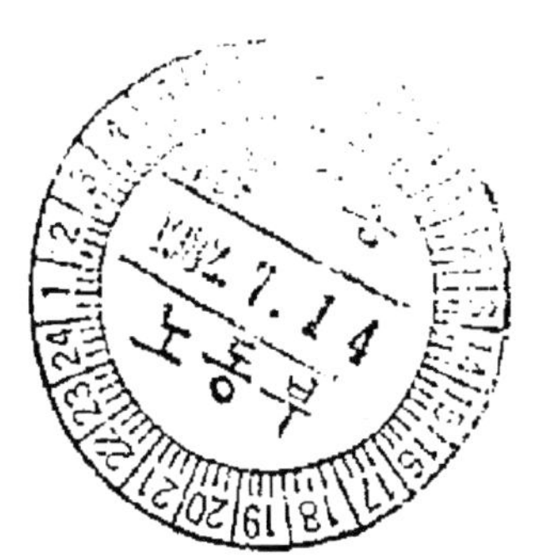

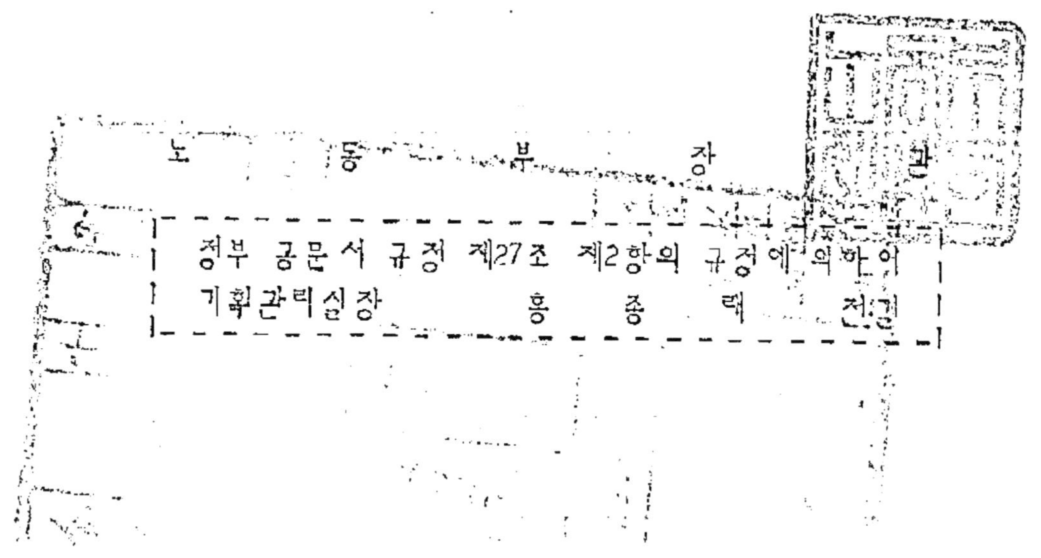

노 동 부 장 관

정부 공문서 규정 제27조 제2항의 규정에 의하여
기획관리실장 홍 종 렬 전결

27

질 의 요 지

제목 : 주한미군 또는 그 소속 한국근로자의 노동조합의 노동쟁의를 노동쟁의조정법에 적용할 수 있는지에 관한 질의

주한 미8군 소속 한국근로자들로 구성된 노동조합이나 그 다수 조합원들의 파업, 태업 등 노동쟁의에 대하여 노동쟁의 당사자가 주한미군 부대인바 이 경우 국내법인 노동쟁의조정법을 적용할 수 있는지에 대하여 질의하오니 회시하여 주시기 바랍니다.

1. 갑 론

적용할 수 없다

(이 유)

주한미군과 그 소속 한국근로자 단체인 노동조합의 쟁의행위는 "대한민국과 아메리카 합중국 간의 상호 방위조약 제4조에 의한 시설과 구역 및 대한민국에서의 합중국 군대의 지위에 관한협정" 제17조 제4항 (가)호에 " .... 해결될 수 없는 것은 대한민국의 노동법령중 단체행동에 관한 규정을 고려하여 다음과 같이 해결되어야 한다"고 규정하였는 바, 이는 노동쟁의조정법에 제반규정을 고려 또는 참고하여 노동부나 합동위원회에 회부하거나 외교적 경로를 통하여 처리하도록 정하고 있으므로 대한민국의 국내

28

법인 노동쟁의조정법을 직접적으로 적용하여 처리할 수는 없고 국제법의 일반원칙상 외국파견 군대는 본국을 대표하고 있는 것이므로 미국정부를 당사자로 하고 있는 쟁의행위를 국내법으로 처리할 수 없는 것임.

2. 을 론

적용할 수 있다

(이 유)

동협정 제17조 제4항 (가)호는 "..... 합중국 군대의 불평처리 또는 노동관계 절차를 통하여 해결될 수 없는 것은, 대한민국 노동법령중 단체행동에 관한 규정을 고려하여 다음과 같이 해결되어야 한다"라고 규정하고 동항 (가)호 (1)호는 "쟁의는 조정을 위하여 대한민국 노동부에 회부하여야 한다"고 규정하고 있으므로 노동쟁의 처리는 합동위원회 또는 외교적 경로에 의하기 전에 일차적으로 대한민국의 노동행정기관에 의한 조정절차를 따르도록 한 것이므로 노동쟁의조정법이 적용될 수 없는 것임.

3. 당부 법무담당관의 의견

"을론"이 타당함.

29

관계법조문발췌

노동쟁의조정법

제3조 (쟁의행위의 정의)

이 법에서 쟁의행위라 함은 동맹파업, 태업, 직장폐쇄 기타 노동관계당사자가 그 주장을 관철할 목적으로 행하는 행위와 이에 대항하는 행위로서 업무의 정상적인 운영을 저해하는 것을 말한다.

30

협 조 문	응신기일 198 . . .
분류기호 및 문서번호	미안 723-29 제 목 SOFA 노무 조항 관련 의견 회보
수 신	국제기구 조약국장 발신일자:198 2. 8 . 3 .

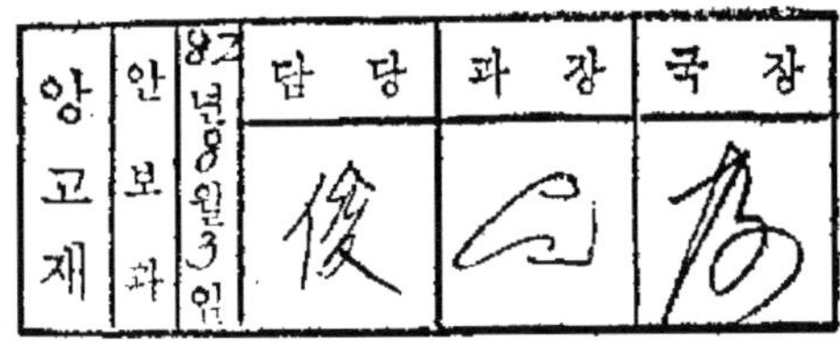

앙고재	안보과	82년 8월 3일	담 당	과 장	국 장
			俊	(서명)	(서명)

발신 : 미주국장

대 : 국조 741-143

대호건, 당국 검토 의견을 다음과 같이 회보하니 참고하시기 바랍니다.

1. 주한미군 (고용주)과 주한미군 근무 한국 근로자 노조 (고용원 단체)간 쟁의는 한미 주둔군 지위협정 (SOFA) 제 17조 4항에 의거 4단계 절차에 따라 해결토록 되어 있으며 그중 제 1단계 조치는 (이경우) 노동부의 조정 절차에 따르도록 되어 있으므로 조정의 기준으로서 노동쟁의 조정법을 적용할 수 있다고 봄.

2. 다만 제 1단계 조치 실패시 SOFA 합동위원회 및 외교적 경로를 통한 해결은 특별 해결 절차에 해당되므로 동법의 적용은 제한 된다고 봄. 끝.

1205—8A
1981. 12. 1승인

190mm×268mm(인쇄용지(2급)60g/m²)
조 달 청 (230,000 매 인 쇄)

31

의제 5

(미측설명 및 양해각서의 회의록 수록 제의)

감사합니다, 스코트 장군.

본인은 지난 6. 30. 주한미군과 주한미군 한국인 고용원 노조간에 서명되고 대한민국 노동부에 의해 확인된 바 있는 주한미군 한국인 고용원의 임금 조정에 관한 양해각서를 본 회의록에 수록하자는 귀하의 제의에 동의합니다.

(미측 언급)

※ 82. 8. 6 제145차 SOFA 합동회의 Talking Paper

32

Agenda Item V

(US Presentation & Proposal)

Thank you, General Scott.

I am pleased to concur in your proposal that the Memorandum of Understanding on wage adjustment signed between the USFK and the USFK Korean Employee Union on 30 June 1982 and countersigned by the ROK Ministry of Labor, be recorded as an inclosure to the minutes of this meeting.

(US Remarks)

33

MEMORANDUM OF UNDERSTANDING

As a result of conciliation by the Ministry of Labor, Republic of Korea Government, which was conducted in accordance with paragraph 4(a)(i) of Article XVII of the US-ROK Status of Forces Agreement, the US Forces, Korea and the USFK Korean Employees Union agree as follows:

1. The USFK Korean Employees Union accepts the wage adjustment offered by the US Forces, Korea effective 1 July 1982:

a. Hourly wage rates and amount of Consolidated Allowance Payment (CAP) for manual (KWB) and non-manual (KGS) employees are as shown at Inclosures 1 and 2.

b. The manual (KWB) wage schedule at Inclosure 1 reflects a special adjustment which was made to provide a 10 percent pay increase for employees at grades KWB-3 through KWB-7. The manual (KWB) wage schedule at Inclosure 3 (which will not be used) reflects the wage rates that were computed on the basis of actual data collected by USFK during the 1982 Locality Wage and Benefits Survey.

c. The special adjustment in the wage rates for grades KWB-3 through KWB-7 will not be viewed as a precedent and will not be repeated in future wage adjustments. Also, it is understood that the pay adjustment for these employees in 1983 will be based on the Locality Wage Survey results, regardless of the special adjustment made this year.

2. Tuition assistance payments will be increased to amounts not to exceed 144,000 won and 206,000 won per annum for each student dependent in middle or high school, respectively, effective at the beginning of quarterly school terms on or after 1 July 1982. Maximum quarterly payments will not exceed one fourth of these amounts.

3. The amount of Payment in Kind (PIK) payments will be increased to 166 won per hour. When meals are provided without charge aboard vessels, this amount will be reduced to 48 won per hour.

4. USFK agrees that representatives of the USFK Korean Employees Union may observe the collection of wage and benefits data on a trial basis during the 1983 Locality Wage Change and Benefits Survey:

a. One union representative will be permitted to accompany each USFK data collection team in an observer status on visits to a selected number of participating companies, as mutually agreed by USFK and the Union and subject to the concurrence of each of the companies involved.

b. The USFK Korean Employees Union agrees that it will not challenge the validity of the survey findings and that it will maintain the confidentiality of the survey data.

c. The designated union observers will not challenge the validity of the data collections process so long as the USFK data collectors follow the survey questionnaire.

34

5. USFK agrees to designate 3 January as an additional official holiday for USFK Korean employees starting in 1983.

6. USFK agrees to conduct a full study of tuition assistance payment practices by non-USFK employers as part of its 1983 Locality Wage Change and Benefits Survey. If the study supports a change in USFK tuition assistance practices, including payments to employees with dependents attending colleges or universities, USFK will request approval from the PACOM Joint Labor Policy Committee to apply such changes at the beginning of the first full school term (1 Sep 83) following JLPC approval. The US Department of Defense policy for determining prevailing practice and prevailing rate determination will apply. Adjustment of the tuition assistance program may require adjustment in the present USFK Benefits Allowance.

7. As part of the 1983 Locality Wage Change and Benefits Survey, USFK agrees to conduct in good faith a special study of annual leave accumulation provisions. If the study supports a change in the amount of annual leave that may be accumulated by USFK employees, a recommendation will be made to the PACOM Joint Labor Policy Committee to authorize such change starting in September 1983.

8. USFK agrees to provide the Ministry of Labor a summary of the 1983 Locality Wage Change and Benefits Survey findings.

9. The USFK Korean Employees Union withdraws the dispute dated 28 May 1982 concerning the proposed wage increase.

FOR US FORCES, KOREA:

THOMAS M. BRISON
Chairman
Joint Labor Affairs Committee

FOR USFK KOREAN EMPLOYEES UNION:

KIM, CHIN HYOP
President
Korean Employees Union

FOR MINISTRY OF LABOR:

HAN, BYONG IK
Conciliator

30 June 1982

35

양해 각서

대한 민국과 미 합중국간의 주한 합중국 군대의 지위에 관한 협정 제XVII 조 4(a)(i) 항 규정에따라 실시된 대한 민국 노동부의 조정 결과에따라 주한 미군과 주한 미군 한국인 종업원 노동 조합은 다음과같이 합의한다.

1. 주한 미군 한국인 종업원 노동 조합은 주한 미군이 제시한 다음과같은 임금 조정을 1982년 7월 1일부터 실시 하는것을 수락한다.

a. 기능직 (KWB) 및 사무직 (KGS) 시간급액과 종합 수당 (CAP) 액은 별표 1—2와 같이 조정한다.

b. 별표 1의 임금표 임금액은 기능직 3내지 7급직 종업원들에게 10%의 인상을하는 특별 조정 조치가 반영되었다. 별표 3 의 기능직 임금표 (실제 사용하지 않음)의 액수가 1982년도 지방 노임및 혜택 조사를 통하여 주한 미군 조사에따른 실제 자료에 의하여 계출된 임금액을 반영하고 있다.

c. KWB-3 내지KWB-7 급에 대한 임금 인상을 특별 조정은 선례로 간주 되거나 차후 임금 인상에 반복 되어서는 안된다. 또한 이들 직급에 해당되는 종업원은 1983년도 임금 인상시 금번 특별 조정에 구애됨이없이 1983년도 지방 임금 조사 결과를 근거로 책정한다는점을 이해한다.

2. 학자 보조액을 중학교와 고등학교 재학 자녀에 대하여 년간 각기 최고 144,000원과 206,000원을 초과하지 않는 범위에서 지급하고, 실시 시기는 1982년 7월 1일 이후 첫 4분기 학기부터 실시한다. 매 4분기 지급액은 년간 총액의 4분의 1을 초과하지 않는다.

3. 현물 수당 (PIK) 을 시간당 166원으로 증액한다. 선박 승선중 선내 식사를 제공받는 경우에는 동 수당액을 시간당 48원으로 한다.

4. 주한 미군은 주한 미군 한국인 노동 조합 대표가 1983년도 지방 임금 혜택 조사 기간중 실험적으로 임금 자료및 정보 수집 과정을 다음과 같은 조건으로 옵서버 하는것을 동의한다.

a. 1명의 노동 조합 대표가 주한 미군 자료 수집반을 동행, 주한 미군과 노동 조합이 합의하고 해당 회사가 조합 대표의 동행을 동의한다는것을 전제로 하여 선정된 회사의 자료 수집 방문에 옵서버 자격으로 동행한다.

36

b. 주한 미군 한국인 종업원 노동 조합은 조사 결과의 유효 합당성에 이의를 제기하지 않으며 조사 자료의 비밀을 보장한다.

c. 노동 조합의 옵서버는 주한 미군 자료 수집반이 조사 설문서에따라 조사 진행하는한 자료 수집 과정에 이의를 제기하지 않는다.

5. 주한 미군은 1월 3일을 1983년도부터 주한 미군 한국인 종업원 유급 휴일로 추가 지정 한다.

6. 주한 미군은 1983년도 지방 임금 혜택 조사의 일환으로 비 주한 미군 사용주의 학자 보조 지급 관행을 조사 검토 할것에 합의한다. 만일 조사 결과가 대학교 취학 자녀들의 학비 보조를 위시하여 주한 미군 학비 보조 제도의 변경이 뒷받침 되면 주한 미군은 동 변경을 태평양 지역 사령부 합동 노무 정책 위원회의 승인후 (1983년 9월1일 학기) 첫 학기부터 실시 할 수 있도록 태평양 지역 사령부 합동 노무 정책 위원회의 승인을 요청한다. 지방 통상 관례및 통상액 결정에있어, 이에 대한 미 국방성 기존 방침에 따른다.학자금보조 제도의 변경 조정은 현 주한 미군 혜택 수당의 조정을 필요로 할 수 도 있다.

7. 1983년 임금 혜택 조사의 일부로, 주한 미군은 년가 축적에관한 특별 조사를 성의있게 조사 할것을 합의한다. 만일 동 조사가 주한 미군 종업원의 년가 축적 시간에 대한 변경이 뒷받침되면 그 변경 사항을 1983년 9월중에 실시하는 추천을 태평양 지역 사령부 합동 노무 정책 위원회에 건의한다.

8. 주한 미군은 1983년 지방 임금 혜택 조사 집계 자료를 노동부에 제공 할것을 합의한다.

9. 주한 미군 한국인 종업원 노동 조합은 임금 인상에대한 1982년 5월 28일자 쟁의를 철회한다.

주한 미군을 대표하여:

토마스 엠. 브라이슨
합동 노무 위원회 위장

주한 미군 한국인 종업원 노동조합을 대표하여:

김 진 엽
위 원 장

노동부를 대표하여:

한 명 익
조 정 인

37

ADJUSTED

US FORCES WAGE SCHEDULE

REPUBLIC OF KOREA
MANUAL (KWB) WAGE SCHEDULE
LOCALLY HIRED, NON-US CITIZEN EMPLOYEES

HOURLY RATES (KOREAN WON)

KWB GRADE	STEP 1	STEP 2	STEP 3	STEP 4	STEP 5	STEP 6	STEP 7	STEP 8	STEP 9	STEP 10	STEP 11	STEP 12	CAP*
1	416	435	455	475	495	515	535	554	574	594	614	634	67
2	517	542	567	591	616	641	665	690	715	739	764	788	80
3	621	650	680	709	739	769	798	828	857	887	916	946	96
4	729	764	799	833	868	903	937	972	1007	1042	1076	1111	110
5	837	876	916	956	996	1036	1076	1116	1155	1195	1235	1275	126
6	946	991	1036	1081	1126	1171	1216	1261	1306	1351	1396	1441	140
7	1054	1104	1155	1205	1255	1305	1355	1406	1456	1506	1556	1606	155
8	1189	1246	1303	1359	1416	1473	1529	1586	1643	1699	1756	1812	168
9	1366	1431	1496	1561	1626	1691	1756	1821	1886	1951	2016	2081	191
10	1541	1615	1688	1762	1835	1908	1982	2055	2129	2202	2275	2349	214
11	1718	1800	1881	1963	2045	2127	2209	2290	2372	2454	2536	2618	237
12	1893	1984	2074	2164	2254	2344	2434	2524	2615	2705	2795	2885	260
13	2142	2244	2346	2448	2550	2652	2754	2856	2958	3060	3162	3264	292

*Consolidated Allowance Payment

EFFECTIVE DATE: 1 July 1982

38

Incl #1

US FORCES WAGE SCHEDULE

REPUBLIC OF KOREA
NON-MANUAL (KGS) WAGE SCHEDULE
LOCALLY HIRED, NON-US CITIZEN EMPLOYEES

HOURLY RATES (KOREAN WON)

KGS GRADE	STEP 1	STEP 2	STEP 3	STEP 4	STEP 5	STEP 6	STEP 7	STEP 8	STEP 9	STEP 10	STEP 11	STEP 12	CAP*
1	423	444	464	484	504	524	544	564	585	605	625	645	65
2	604	633	661	690	719	748	777	805	834	863	892	920	87
3	785	822	859	897	934	971	1009	1046	1083	1121	1158	1196	109
4	964	1010	1056	1102	1148	1194	1240	1286	1332	1378	1424	1469	132
5	1145	1199	1254	1308	1363	1418	1472	1527	1581	1636	1690	1745	154
6	1325	1388	1451	1514	1577	1640	1703	1766	1829	1892	1955	2019	176
7	1505	1577	1649	1720	1792	1864	1935	2007	2079	2150	2222	2294	199
8	1694	1775	1856	1936	2017	2098	2178	2259	2340	2420	2501	2582	222
9	2063	2161	2260	2358	2456	2554	2652	2751	2849	2947	3045	3144	268
10	2433	2548	2664	2780	2896	3012	3128	3244	3359	3475	3591	3707	313
11	2801	2935	3068	3202	3335	3468	3602	3735	3869	4002	4135	4269	359
12	3169	3320	3471	3622	3773	3924	4075	4226	4377	4528	4679	4829	405
13	3564	3734	3904	4073	4243	4413	4582	4752	4922	5092	5261	5431	453

*Consolidated Allowance Payment

EFFECTIVE DATE: 1 July 1982

Incl #2

39

US FORCES WAGE SCHEDULE

REPUBLIC OF KOREA
MANUAL (KWB) WAGE SCHEDULE
LOCALLY HIRED, NON-US CITIZEN EMPLOYEES

HOURLY RATES (KOREAN WON)

KWB GRADE	STEP 1	STEP 2	STEP 3	STEP 4	STEP 5	STEP 6	STEP 7	STEP 8	STEP 9	STEP 10	STEP 11	STEP 12	CAP*
1	416	436	455	475	495	515	535	554	574	594	614	634	67
2	517	542	567	591	616	641	665	690	715	739	764	788	80
3	619	649	678	708	737	766	796	825	855	884	914	943	94
4	721	755	789	824	858	892	927	961	995	1030	1064	1098	107
5	822	862	901	940	979	1018	1057	1096	1136	1175	1214	1253	120
6	925	969	1013	1057	1101	1145	1189	1233	1277	1321	1365	1409	133
7	1026	1075	1124	1173	1222	1271	1320	1369	1418	1466	1515	1564	147
8	1189	1246	1303	1359	1416	1473	1529	1586	1643	1699	1756	1812	168
9	1366	1431	1496	1561	1626	1691	1756	1821	1886	1951	2016	2081	191
10	1541	1615	1688	1762	1835	1908	1982	2055	2129	2202	2275	2349	214
11	1718	1800	1881	1963	2045	2127	2209	2290	2372	2454	2536	2618	237
12	1893	1984	2074	2164	2254	2344	2434	2524	2615	2705	2795	2885	260
13	2142	2244	2346	2448	2550	2652	2754	2856	2958	3060	3162	3264	292

*Consolidated Allowance Payment

EFFECTIVE DATE: 1 July 1982

--THIS SCHEDULE NOT USED. RATES FOR GRADES KWB-3 THROUGH KWB-7 REVISED BY HQ WESTCOM MESSAGE 252220Z JUNE 1982, SUBJECT: AUTHORIZATION OF US FORCES WAGE SCHEDULES-KOREA.

40

정 리 보 존 문 서 목 록					
기록물종류	일반공문서철	등록번호	2012080126	등록일자	2012-08-27
분류번호	729.414	국가코드		보존기간	영구
명 칭	SOFA 한.미국 합동위원회 - 노무분과위원회, 1990-91				
생 산 과	안보정책과	생산년도	1990~1991	담당그룹	
내용목차	1. 1990 2. 1991 * 노동쟁의 발생 : 1990.10.19 * 조정회의 : 1990.12.6/12.10 * 노무분과위원회 개최, 1991.4.18				

0001

l. 1990

0002

노 동 부

고대 01254-1574 503 - 9748 1990. 2. 3.

수신 강인식

제목 청원회시

1. 귀조합에서 '90.1.15 당부에 청원한 주한미군 철수로인한 실업자발생 대책에 대하여 다음과 같이 회시하오니 양지하시기 바랍니다.

가. 주한미군의 철수문제는 차후 동문제가 공식 논의될 경우 당부는 관계당국과 사전협의로 실업대책등에 대하여 귀조합의 청원내용이 최대한 반영되도록 적극노력할것을 알려드립니다.

나. 당부에서는 현재 전국 노동관서의 전산망을 통하여 취업을 알선하고 있으며, 실업자전업촉진훈련을 국고부담으로 실시(90년 12,000명) 재취업에 최선을 다하고 있음을 참고하시기 바랍니다. 끝.

노 동 부 장

고용대책과장 전결

0003

국 방 부

(795-7462)

국외 24103-47 1990. 2. 6.

수신 전국 주한미군 노동조합위원장

제목 주한미군 노조의 청원 회신

1. 전국 주한미군 노조의 "주한미군 한인직원 고용안정대책 건 청원서"('90.1.15)에 대한 검토결과를 첨부와 같이 회신합니다.

첨 부 : 청원서 회신 서한 1부. 끝.

국 방 부 장

0004

전국 주한미군 노동조합위원장 귀하

귀하의 '90.1.15일자 청원취지는 북한이 남침야욕을 포기하지 않는 한 주한미군 노조는 미군의 감축 및 철수에 반대하며, 주한미군 철수시 25,000여 한국인 직원에 대한 실업대책을 강구하여 달라는 것으로 판단됩니다.

본인은 먼저 나라의 현실을 걱정하고 안정을 희구하는 귀 조합의 충정에 깊이 감사하며 국가안보와 주한미군을 위하여 수고를 아끼지 않고 있는 조합원 여러분께 치하를 드리는 바입니다.

최근 미국내 일각에서 주한미군의 철수론이 제기되고 있습니다만, 한.미연합방위체제의 약화를 바라는 북한에게 오판의 여지를 주지 않고 동북아 배치 미군의 축소를 바라는 소련의 팽창정책을 견제하기 위해서는 주한미군은 한반도에 계속 주둔할 필요가 있다는 것이 한.미 양국 정부의 공식 입장입니다. 특히 우리정부로서는 앞으로도 주한미군 주둔문제에 관한 한 급격한 변화가 없도록 적극 노력할 방침입니다.

0005

그리고 주한미군 장래문제와 관련된 한국인 직원의 실업대책은 귀 조합으로서는 지대한 관심사항일 것으로 여겨지나, 기본적으로 한.미 안보협력관계는 국가안보에 직결되는 사항으로서 일부의 주장에 의해 일시적으로 변경될 수 있는 문제는 아니므로 귀 조합원 모두가 현재와 같은 자세로 충실히 근무해 주실 것을 당부드리며, 여러분의 숨은 노력은 현 상황의 급격한 변화 방지에 크게 도움이 될 것입니다. 다만 귀 조합의 우려사항에 대해서는 노동부 등 관련부처에서 범정부적으로 신중히 연구검토되어야 할 것으로 생각합니다.

끝으로 귀 조합과 조합원 모두의 건승을 바랍니다.

1990. 2. 6.

국 방 부 장 관

0006

대 한 민 국
외 무 부

5857

미안 01225- (720-2324) 1990. 2.12.

수신 전국 주한미군 노동조합 위원장 강인식

제목 주한미군 한국인 직원 고용 안정대책 청원 회신

1. 귀 조합측의 주한미군 철수시 실업 대처 방안 강구 청원과 관련, 주한미군 문제에 관한 현재의 상황을 다음과 같이 알려드리니 참고하시기 바랍니다.

가. 한.미 양국정부 당국은 아직 주한미군 철수에 대한 계획을 합의한 바 없으며, 양측은 과거와 마찬가지로 미군문제를 포함한 한.미 안보협력 관계를 계속 협의해오고 있음. 최근 주한미군 감축에 관한 언론 보도(대규모 감축등)는 사실과 일치하지 않음.

나. 정부는 한반도에서의 안보상황에 긍정적 변화가 없는한, 주한미군의 급격한 변화는 바람직하지 않다는 입장을 견지하고 있으며 미국정부도 같은 인식을 갖고 있음.

다. 지난 10년간 주한미군 규모가 계속 일부 증감되어온 바와 같이, 미국의 재정사정등 요인으로 극히 부분적인 규모의 단계적 조정가능성은 있을 수 있음. /계속...

0007

2. 당부는 주한미군 규모의 부분적 조정가능성에 따른 주한미군 한국인 직원 고용안정 문제에 관해서는 관계부처인 노동부에도 가능한 조치를 강구할 필요성을 알릴 예정입니다. 끝.

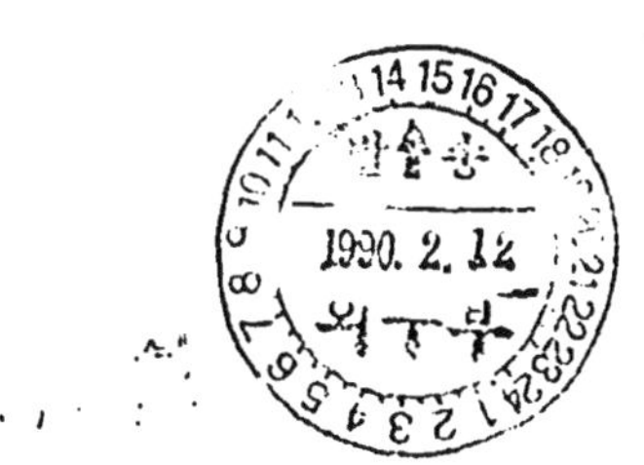

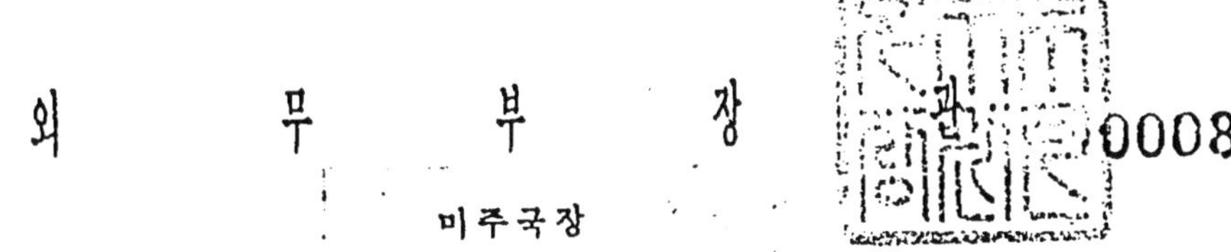

외 무 부 장 관

미주국장

0008

국 회 사 무 처

의안제 2033 호 1990. 6 .13.

수신 서울시 용산구 한강로 2가 186 한강빌딩4층 전국주한미군노동조합

제목 진정서처리결과통지

귀하와 귀댁에 행운이 깃드시기를 축원합니다.

1990. 5 .22 . 귀하께서 진정하신 "주한미군한국인직원고용안정대책에 관한 진정"에 관하여 그 처리결과를 별첨과 같이 통지하오니 양지하시기 바랍니다.

첨부 : 진정서처리결과 1부. 끝.

국 회 사 무 총

0003

陳情書處理結果

노 동 委員會

件 名	주한미군한국인직원고용안정대책에관한진정		陳情番號	제 3752 호
陳情人	住所	서울시 용산구 한강로2가 186(한강빌딩 4층)		
	姓名	전국주한미군 노동조합		
所管委員會 回附年月日	1990. 5. 24.			
檢討年月日	1990. 6. 12.	전문위원 탁 영 전		

處理結果

1. 귀하가 제출한 진정내용을 검토하고 관계기관 (노동부)에 이를 확인한바,

2. 노동부에서 현재 주한미군 철수에 따른 주한미군 한국인 근로자 고용안정대책을 수립하기 위해 관계부처와 협의를 추진하고 있다고 하오며,

3. 당 상임위원회에서도 노동정책심의시 귀노조에서 제시한 방안이 반영될 수 있도록 촉구하고자 하오니 양지하시기 바랍니다.

0010

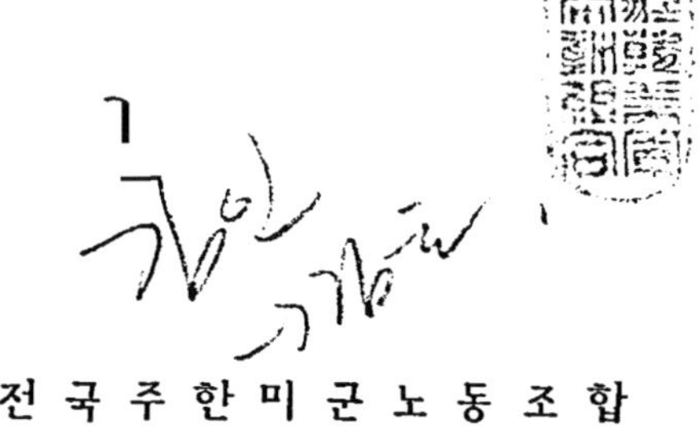

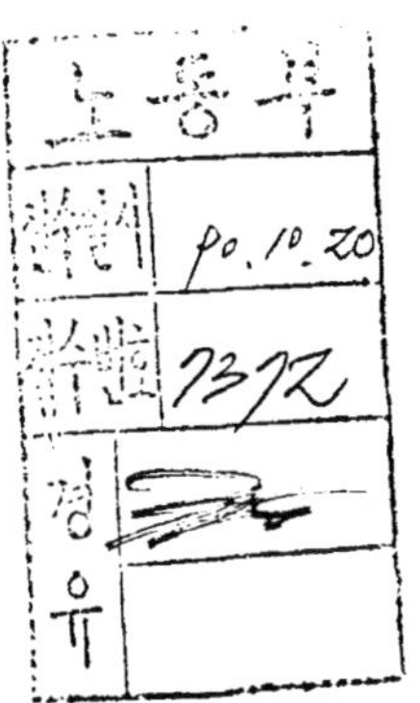

전국주한미군노동조합

전주노 제90-118호 793-1862 1990. 10. 19.

경 유 노동부 장관

수 신 한.미 합동위원회 위원장

제 목 노동쟁의 발생신고

당조합은 주한미군 철군계획에 따른 사후대책등 제반 당면문제와 관련하여 주한미군 당국과 수차 협의를 해왔으며 한국정부 당국에도 청원 을 한바 있으나 현재까지 아무런 대책어 없어 조합원들에 원성이 날로 더해가는 가운데 조합 제29차 정기전국 대의원대회('90.10.19일) 만장일치 쟁의 결의(결의문별첨)를 하고 노동쟁의 조정법 제16조 제1항 및 한.미행협 제17조(노무)에의거 노동쟁의 발생신고(별첨)를 하오니 우리에 뜻이 관철 되도록 적극 조정하여 주시기 바랍니다.

유 첨: 1. 노동쟁의 발생신고 1부.

2. 근로조건개선 및 생존권보장 투쟁 특별결의문 1부. 끝.

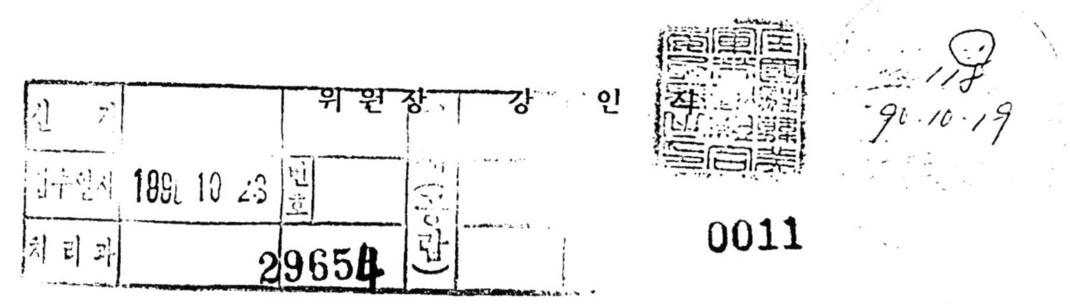

위원장 강 인 각

0011

노 동 쟁 의 발 생 신 고

당사자

1. 노동단체

   전국 주한미군 노동조합 위원장 강 인 식

   서울특별시 용산구 한강로2가 186번지

2. 사용자

   주한미군 사령부 사령관 로버트 W·리스카시

   서울특별시 용산구 한강로 1가

위당사자간에 노동쟁의가 발생하였기에 노동쟁의 조정법 제16조 제1항 및 한미행협 제17조(노무)에 의거 다음과같이 신고합니다.

다 음

1. 노동쟁의 발생 사업장명과 소재지

   주한미군사령부 및 산하 전국지역

2. 사업의 종류

   주한미군 지원업무

3. 노동쟁의 참가 인원수(남,여별)

   남 16,138명, 여 2,245명, 계 18,383명

4. 안전보호 시설의 유무: 일부있음

5. 노동쟁의 발생년월일: 1990년 10월 19일

0012

6. 요구조건 및 기타쟁의 목적

1). 요구조건

(1) 주한미군 당국의 주한미군 철군계획에 따른 무모한 감원계획을 절대반대하며 근로자들에게 책임있는 사후대책을 보장할것.

한.미 정부당국이 90년도초 주한미군 철수계획 발표(광주, 대구, 수원)로인한 감원과 주한미군당국이 철군계획에 따른 예산감축이란 명분에의한 감원계획(통신, 공병, 수송, 초청청부, 유류취급)으로 현재 수백명에 달하는 감원계획을 시도하고 있는바 우리는 주한미군당국이 이와같은 무모하고 대책없는 감원계획을 결사 반대하는 바이며 감원계획에 따른 우선 사후대책 보장을 강력히 촉구한다.

(2) 주한미군당국은 사후대책 보상금으로 그동안 누적되어온 약40개월분의 퇴직금 누진율을 적용 최소한 40개월분의 평균임금을 지급할것.

조합은 전체 근로자들에 근무연한에 따라 실직자에 대한 생활 및 사후대책금을 요구하게 되었습니다. 한국인 근로자들의 근무연한은 주한미군 주둔 이래 현재까지 약40년이 넘었으나 근로자들의 사후대책이 전무한 상태이며 현재 한국인 근로자들에 퇴직금제도가 적립누진식이 아닌 1년청산식 지급으로서 그동안 누적된 약40개월분을 퇴직금 누진율을 적용하여 장기근속자에 최소한 40개월의 평균임금을사후대책 지원금으로 지급하여야 한다고 주장하는 바이오며 모든 근로자들에게 연조에 따라 동등한 지급을 하여야 할것입니다. 이는 과거 일본에서 주둔국이 철수당시에 그들은 퇴직금연금제를 지급하는 우대속에서도 생활대책금으로 40개월이상의 임금을 지급 한바가 있어

0013

우리의 요구는 매우 타당하다고 보는 바입니다.

(3). 주한미군당국은 한국노동법에 따라 휴가제도를 즉각 시정하고 누적된 휴가 및 병가를 전액 현금으로 지급할것.

주한미군 당국은 한.미 행정협정에 의한다는 명분으로 모든 한.미 간의 법령을 교묘하게 적용함으로 근로자들이 한국법에 정해진 공휴일을 제대로 활용하지 못하였으며 또한 병가제도 역시 엄격한 규제로 저지되어 왔습니다. 주한미군당국은 대한민국내에서 한국인근로자를 고용하여 국방업무 즉 국군작전 지원업무에 필요불가결하게 활용하면서 대한민국의 노동법령에 따른 휴가제도(근로기준법 제48조)를 보면 근로자가 1년간의 개근일시 8일에 유급휴가와 아울러 매해 근무연한에 따라 1일씩을 추가하고 근로자가 과중한 업무나 정신적 고충으로 발생되는 병가에 대하여는 평균임금(월차)에 60%를 지급하고 있으며 한국정부가 정한 각종 공휴일은 근로자들에게 유급휴일로 정해 근로자들의 건강과 기능활용에 활력소가 되고 있으나 주한미군 당국은 이와같은 제도적 법령을 무시하고 일방적으로 자국에 이익만을 추구하는 제도를 만들어 집행하고 있씀으로 이를 즉각 철회하고 대한미군 근로기준법에 따라 시행 할것을 강력히 촉구하는 바이며 그동안 억제당한 휴가 및 병가 즉 그동안 누적된 병가에 대하여 총누적시간을 전체현금으로 보상할것을 강력히 요구하는 바입니다. 누적된 병가는 청춘을 바쳐 건강을 돌볼 여유없이 충실히 업무에 임하였음을 증명한 것이며 그에대한 댓가로 축적된 병가시간은 전액을 보상받아야 마땅 하다고 보는것입니다.

0014

(4) 한.미행협(노무조항)을 즉시 개정할것.

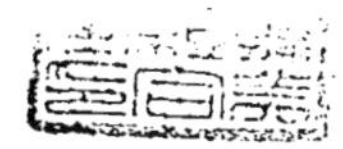

주한미군당국은 제반노사문제에 부당한 한.미행협(노무조항)을 적용해 옴으로 노.사분쟁에 주원인이 되어왔습니다. 한.미 행협은 한국동란으로 인해 경제적 난관으로 외국의 원조에 의존하고 있었을때 만들어진 협정 즉 주둔군지위협정을 현재까지 준용 고수하고 있다는것은 국가와 국민을 모독하는 현실을 망각한 행위로서 용납될수 없는 일입니다. 조합은 이에 부당함을 인지하고 수십년전부터 개정을 요구해 왔으며 현재 양국 당사자간에 협의중인 것으로 알고 있으나 한국법령에 보호를 받을수 있도록 조합의 개정안에 의거 즉시 개정되어야 합니다.

(5) 부당한 인사규정 및 단체협약을 즉시 개정할것.

주한미군당국은 인사규정을 일방적으로 부당하게 개정하여 장기근로자 및 정식직종에 근로자를 아무런 예우나 대책없이 감원을 유도하는 동규정을 즉시 철회하고 감원시 임시직 및 파타임을 우선 조치토록 할것이며 이외에 부당한 인사규정을 즉시 개정하여야 하며 또한 조합은 주한미군 당국에 단체협약 개정을 요청했으나 계속 지연시켜오고 있씀으로 조합의 마땅한 개정안을 즉시 수락하여야 함.

(6) 미 군인가족 한국인직종에 불법취업을 즉각 철회할것.

조합은 한국인 직종에 미군가족이 불법취업을 하고있어 이를 주한미군당국과 정부당국에 즉각 철회를 주장해 왔으나 현재 계속 취업을 시키고 있으며 또한 주한미군 당국은 예산상의 문제로 금년 1월초부터 채용동결령을

0015

내려놓고 있는 상태에서 한국인 직종 공석에 계속 미군가족을 부당하게 채용하는 비도덕적 행위를 하고 있습니다. 이는 예산절감이 아닌 예산추가집행 조치이며 때문에 용납될수 없는 행위임으로 이를 즉각 철회는 물론 현재까지 채용한 미군인가족에 대해 즉시 해고 조치하고 한국인근로자로 채용하여야 함.

(7) 감원자 및 일반근로자에 대한 이민특혜를 부여할것.

주한미군당국은 미국정부와 협의하에 수년간 한국인근로자에 대하여 15년이상 장기근속자에 대한 예우로 이민권을 부여해 왔었으나 이를 중지한 상태입니다. 많은 근로자들이 수십년간 특수기능으로 익힌 기술을 바탕으로 이민을 희망하고 있으나 원활히 이루어지지 않고 있씀으로 정책적인 차원에서 사후대책의 일환으로 이를 부활하여 감원자 및 일반근로자들에게 이민권 특혜를 부여해 줄것을 강력히 요구하는 바입니다.

(8) 44시간 이상근무자에 대한 O.T문제를 즉각 철회 할것.

주한미군당국은 금번 노동법개정에 따라 주44시간이상 근로자들에게 주44시간 이상은 O.T를 적용 실질적으로 금전적 손실과 근무시간에 대한 보장문제가 발생된바 이를 주둔국 법령에 따라 시행이 된다면 모든규약이나 협정을 국내법으로 개정되어야 마땅하다고 보나 동 O.T문제만을 개정한것은 오로지 고용주 이익만을 추구하는 행위로서 이는 즉각 철회되어야 합니다.

(9) 비조합원에 대해 노사간 협의 결정 혜택을 제외 시킬것.

조합은 주한미군당국과의 각종 협의를 통하여 근로자들에 권익향상을

0016

위해 힘써왔으나 조합에 가입하지 않은 비조합원중에서 조합과 고용주간에 이간 혹은 비방을 일삼는등 모든 문제가 근본적으로 이들속에서 발생되고 있어 비조합원들에게 엄격한 비교를 두어 각종 인사조치는 물론 우선감원, 의료보험, 복지연금등 노.사간에 결정된 사항에 대한 일체의 혜택을 제외시켜 줄것을 강력히 요청하는 바입니다.

2). 기타 쟁의목적

주한미군 한국인근로자들은 장기근속이 평균 22년으로서 대부분이 40대 후반이며 이들중 약50%가 50세가 넘고있어 감축에 따른 감원시 사회에 재취업이 불가능한 실정이고 특히 근로자들에 대한 퇴직금제도가 적립누진식이 아닌 1년 청산식 지급으로서 실직시 생활대책이 전무한 매우 심각한 상태에 한.미 정부당국은 철군문제를 거론하면서 근로자들의 감원에 따른 대책을 전혀 고려하지 않고 있으며 또한 한국정부는 주한미군 용산기지 이전, 미군주둔비 비용부담 그리고 페르시아만 분쟁에 거액을 지원하면서 한국인근로자에 대하여 일언반구도 없이 철군에 일방적 합의를 한바 40년이상 국가방위와 외교 그리고 외화획득으로 청춘을 바쳐온 수만명의 근로자는 이에 배신감마져 느끼며 울분을 금치못하는 바입니다. 동문제는 일차적으로는 미국정부에 있으나 그동안 주한미군 한국인근로자들의 업무형태로 보아 우리정부에도 큰 책임이 있다고 봅니다. 조합은 모든상황을 비추어볼때 동문제점을 해결할수있는 방법은 오로지 한.미 양국정부에 외교적차원으로서만이 원만한 대책을 마련할수 있다고 판단되어 한.미 관계당국과 국회에 청원(90.1.15)한바 있으며 중앙위원회 특별결의(90.2.2일) 및 생존권보장을 위한 궐기대회(90.2.13일)를 한바있으나 현재까지 아무런 조치가 이루어지지 않아 더이상 묵과하고 있을수

0017

없어 조합원의 열의에 따라 단체행동으로서 항거 할것을 대의원대회(90.10.19)에서 만장일치 결의하고 이에 쟁의신고에 이르렀습니다.

7. 노동쟁의에 관한 결의내용

조합 정기전국 대의원대회('90.10.19일) 특별결의(별첨)

8. 기타 참고사항

현 주한미군 25,000여 한국인근로자들은 40여년간이라는 긴세월동안 그야말로 갖은 역경속에서 피나는 노력으로 충실히 근무해 왔으며 민간외교 사절이란 긍지를 갖고 한.미 우호증진에 기여해 왔으며 국가와 민족의 발전을 위해 온갖 노력을 경주해 왔다고 자부하고 있습니다.

그러나 근간 한.미 정부당국이 주한미군 철군계획을 수립발표함에 있어 근로자들에 대한 생존권보장과 사후대책 보장에 대해 일언반구도 없음은 물론 주한미군 당국의 대량감원 계획이 심화되어 가고있어 허탈감과 배신감으로 전 근로자들의 분노가 극한 상황에 이르렀습니다.

이와같은 상황에서 납득할만한 원만한 조정이 없을시는 단체행동이 불가피한 실정이오니 조합의 정당한 요구를 세심히 검토하시여 조속히 원만한 타결이 이루어지도록 적극적인 중재를 요청하는 바입니다.

유 첨: 1. 특별결의문 1부.
2. 조직현황 1부.
3. 국회탄원서 및 회신 각1부.

1990. 10. 19.

신청인

서울특별시 용산구 한강로 2가 186

전 국 주 한 미 군 노 동 조 합

위 원 장 강 인 식

노동부 장관 귀하

한.미 합동위원회 위원장 귀하

0018

결 의 문

◇근로 조건개선에 관한 결의문

오늘 우리는 뜻깊은 전국주한미군노동조합 1990년도 제29차 정기전국대의원 대회를 맞이하여 힘찬전진을 기약하며 외화획득의 일원으로 경제발전의 역군으로서 국토방위에 일익을 담당하고 있는 우리는 평등한 권리보장과 처우를 개선하고 자주적 민주노동운동을 한층 강화하기 위해 우리대의원 일동은 전체 조합원의 이름으로 다음과 같이 결의한다.

다 음

1. 주한미군당국은 91년도 한국인 근로자의 실질임금보장과 저급수자의 임금을 대폭인상하고 고용안정 및 근로조건개선, 후생복지 지원에 책임있는 정책을 제시하고 일요근무자에 일요근무수당 지급은 물론 모든 수당을 기본임금으로 일원화하라!
1. 우리는 어떠한 하청, 파티임전환 및 감원계획과 근로조건 저하도 이를 반대하며 고용주 일방적인 행위시 어떠한 투쟁도 불사할것을 천명한다!
1. 주한미군당국은 장기근속자를 우대하고 연공가봉제를 실시하라!
1. 주한미군당국은 학자보조금을(중•고•대) 전액(영수증) 지급하라!
1. 주한미군당국은 기능직과 사무직간의 임금격차를 줄이고 기능직에 대한 임금은 물론 사무직 저급수직 임금을 대폭 개선하라!
1. 주한미군당국은 노후대책의 일환으로 퇴직금 누진제를 부활하라!

0013

1. 주한미군 당국은 장기근속 종업원을 우대할수 있도록 현 호봉제도를 대폭증설하고 장기근속수당을 지급하라!

1. 주한미군당국은 운전기사의 공무중사고시 부당한 보험제도와 사고처리를 즉각 시정하라!

1990. 10. 19.

전국주한미군노동조합

第29次 정기전국대의원대회

0020

◇고용안정 및 생존권보장 투쟁을 위한 특 별 결 의 문

우리는 6・25남침이후 40여년간이라는 오랜세월동안 온갖 시련을 헤쳐가며 주한미군 작전업무를 지원 국토방위에 일익을 담당해 왔으며 경제발전과 민간외교사절이라는 사명감을 가지고 충실히 근무해 왔다.

우리는 장기근속 평균 22년으로서 대부분 40대 후반이며 이중50%가 50세 이상이 되고있어 감축에 따른 감원시 사회 재취업이 불가능한 실정이며 특히 매년 청산식인 비합법적인 퇴직금 제도로 말미암아 실직시 생활대책이 전무한 매우 심각한 상태임에도 한・미양국은 철군계획에 따른 근로자들에 대한 사후대책이 전무한 상태이다.

또한 한국정부는 주한미군 용산기지 이전, 미군주둔비 비용부담 그리고 페르시아만 분쟁에 거액을 지원하면서 근로자에 대해 일언반구도없이 철군의 일방적 합의는 40년이상 국가방위와 외화획득의 역군으로 청춘을 받쳐온 우리는 배신감과 분노를 금치못하는 바이다.

우리는 한・미 정부당국이 주한미군 철수계획을 수립함에 있어 어떠한 불이익도 받아드릴수 없으며 실질적이고 책임있는 사후대책 수립과 생존권 보장을 위한 응분에 보상을 촉구하며 다음과 같이 강력히 결의하는 동시에 이와같은 정당한 우리의 요구가 관철될때까지 어떠한 투쟁도 불사할것을 만천하에 천명하는 바이다.

다 음

1. 한・미정부당국은 주한미군 철수계획에 따른 주한미군 한국인 근로자들에 고용안정 및 생존권 보장과 실질적인 책임있는 사후대책을 수

- 19 -

0021

립및 보장하라!

1. 주한미군 당군은 철군계획에 따른 한국인 근로자의 실직에 대한 사후 대책이 전무한 상태에서 근본적으로 납득할만한 여건이 조성되지 않는 한 어떠한 감원도 받아드릴수 없다.

1. 주한미군 당국의 철군계획에 따라 예산 감축이란 명분으로 통신, 공병, 수송, 초청청부, 유류취급 등 근로자에 대한 대책없는 감원을 절대 반대한다.

1. 한•미정부당국은 부당한 한•미행협(노무조항)을 한국노동법에 보호를 받을수 있도록 조합의 개정안에 의거 즉시 개정하라!

1. 주한미군당국은 조합이 요청한 단체협약 개정안을 즉각 수락하라!

1. 주한미군당국은 매1년 형식으로 청산하는 비합법적인 퇴직금제도를 실시해옴으로 그동안 누적되어온 약40개월분에 해당하는 평균임금을 생존권 보장을 위한 사후대책비로 보상하라!

1. 주한미군당국이 신규채용 동결령을 발표하고 한국인 근로자 자리에 미군의 가족을 취업시키고 있는바 이는 예산절감이 아닌 다른모종의 계획으로서 이와같은 부당취업을 즉각 철회하라!

1. 주한미군당국은 인사규정을 일방적으로 개정하여 장기근로자및 정식직종에 근로자를 아무런 예우나 대책없이 감원을 유도하려는 동규정을 철회하고 감원시 임시직•파타임을 우선조치 하라!

1. 주한미군당국은 한국노동법에 따라 휴가제도를 즉각 시정 퇴직시 누직된 휴가를 현금으로 지급하고 그동안 누적되어온 병가를 전액 현금으로 지급하라!

1. 주한미군당국은 감원자 및 일반직근로자의 장기근속자에 대한 이민 우선권을 부여하라!

0022

1. 주한미군당국은 일관성 없는 정년연장제도를 철회하고 자퇴서를 내지 않는 한 전면 연장불허 또한 전면연장 중 택일하라!

1. 주한미군당국은 비조합원들이 고용주와 조합간에 이간 및 비방하는 율이 많으므로 엄격한 비교를 두어 각종인사조치는 물론 비조합원에 대한 우선 감원과 아울러 의료·복지연금등 기타 노사간에 결정된 사항에 대해 일체 제외하라!

1990. 10. 19

전국주한미군노동조합
정기전국대의원대회

3. 組合員 및 從業員 現況

(1990年 9月 30日 現在)

組合 및 支部名	代表者	分會	組合員 技能職 男	技能職 女	技能職 計	事務職 男	事務職 女	事務職 計	總計 男	總計 女	總計 計	從業員 技能職 男	技能職 女	技能職 計	事務職 男	事務職 女	事務職 計	總計 男	總計 女	總計 計	備考
組合	姜寅植	242	10,976	972	11,939	5,242	1,193	6,435	16,138	2,245	18,383	11,210	1,217	12,427	6,290	1,496	7,786	17,679	2,736	20,415	
서울支部	鄭普永	31	1,618	337	1,955	1,241	408	1,649	2,859	745	3,604	1,709	350	2,059	2,357	597	2,594	4,100	903	5,003	
議政府지부	全允錫	12	374	52	426	393	50	443	767	102	869	417	72	489	449	65	514	866	137	1,003	
東豆川支部	金寬睦	8	492	125	617	269	53	322	761	178	939	449	201	650	362	67	429	811	268	1,079	
坡州支部	賓永述	11	487	40	527	232	23	255	719	63	782	521	43	564	251	26	277	772	69	841	
富平支部	張普景	13	410	14	424	206	24	230	616	38	654	423	20	443	222	28	250	645	48	193	
松炭支部	朴炳贇	30	846	196	1,042	561	76	637	1,328	351	1,679	980	260	1,240	675	120	795	1,655	380	2,035	
釜山支部	金炯玉	13	359	12	371	410	108	518	769	120	889	443	59	502	450	121	571	893	180	1,073	
江原支部	林貞鉉	6	224	0	224	165	37	202	389	37	426	275	0	275	181	42	223	456	42	498	
平澤支部	金鐵洙	17	580	46	626	588	96	684	1,168	142	1,310	29	7	36	7	8	15	36	15	51	
大邱支部	崔海錫	18	442	64	506	461	146	607	903	210	1,113	460	88	548	573	169	742	1,033	257	1,290	
KSC支部	吳昌權	22	3,306	0	3,306	238	22	260	3,544	22	3,566	3,401	0	3,401	197	27	224	3,598	27	3,625	
群山支部	韓奇弘	12	364	33	397	192	70	262	556	103	659	398	59	457	208	82	290	606	141	747	
倭館支部	李容昌	28	959	12	961	236	60	296	1,194	73	1,267	1,167	6	1,173	297	118	415	1,609	191	1,800	
全南支部	柳旺洙	8	204	20	224	21	2	23	225	22	247	205	20	225	21	2	23	226	22	248	
K-2支部	徐重權	13	311	21	333	29	18	47	340	39	379	333	32	365	40	24	64	373	56	429	

—128—

0024

공 란

공　　　란

공 란

공 란

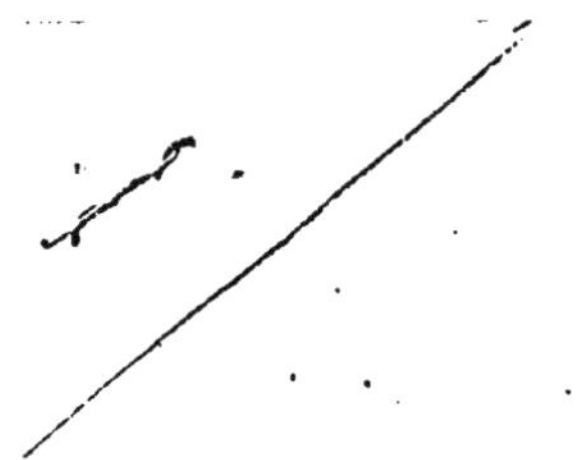

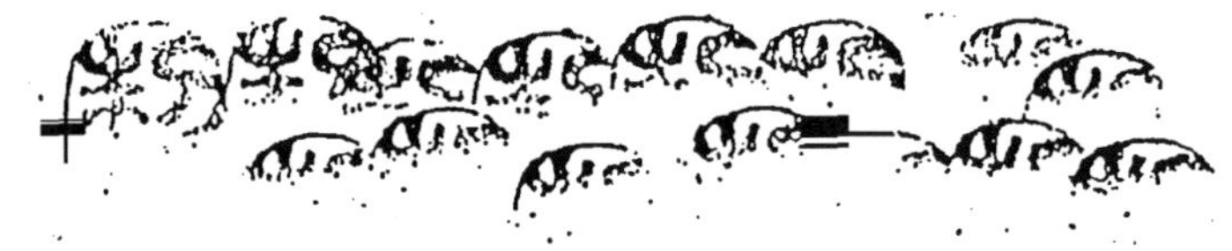

주한미군 한인직원 고용안정 대책

청 원 서

귀 하

항시 국가와 국민의 안위를 위해 전심전력하시는 의원님께 25,000여 전체한인직원을 대표하여 심심한 감사를 드립니다.

'80년대의 민주화 물결의 소용돌이 속에서 각계각층의 저마다의 권익보장을 외치며 세상이 온통 어수선한 가운데 있었습니다만 근40여년간을 주한미군과 생사고락을 같이해온 저희 전체한인직원들은 온갖 시련속에서도 주한미군 지원업무와 국방의 일익을 담당하면서 민간외교 사절로 외화획득의 주역으로 경제발전에 크게 이바지하며 묵묵히 충실하게 근무해 왔습니다.

우리는 제반복지혜택이 전무한 상태에서 매우 어려운 생활을 겪고있는 가운데 년초부터 급속히 몰아닥친 주한미군감축 및 단계적철수설, 이전설등으로 전종업원과 그가족들은 큰 실의에 빠져 있습니다.

우리들은 주한미군과 오랜동안 동고동락을 함께해 오는동안 그들의 생리를 누구보다도 잘알고 있으며 어려운 가운데서도 인내로서 오직 굳건한 안보로 북한이 남침야욕을 포기할때까지 주한미군의 주둔이 우리나라를 위해 필요함을 직시하고 묵묵히 일해왔습니다.

현 국제관계는 동서냉진의시대를 청산하고 이념을 초월한 화합의 분위기가 조성되고 있으며 폐쇄적이던 동구공산국가의 개방과함께 민주화 물결로 국제관계가 크게 변모해가는 가운데 공산국가의 종주국이라고 할수

0029

있었던 중.소와도 급격한 외교관계가 이루어지고 있습니다만 아직도 북한은 남침야욕을 포기하지 않은상태에서 큰 변화없이 개인숭배와 철권통치가 계속 되고있는 현실에서 주한미군의 성급한 철군을 크게 우려하는 바입니다.

우리는 그동안 이러한 차원에서 주한미군 철수를 강력히 반대해 왔습니다만 평화통일 차원에서 한.미 양국간에 주한미군 감축 및 철수를 거론한다면 구지 철수를 반대하지 않겠으나 철수로 야기되는 25,000여 한국인 근로자와 이와관련된 수십만 가족에 대한 대책의 일환으로 실업구제 방안이 확고히 강구되어야 하겠습니다.

우리는 한국정부와 주한미군당국에"제반여파로인한 근로자들의 고용대책을 강구하기 위해서는 우선 전체한인직원을 대표하는 조합과 합의 사항이 우선 취해져야하며 한인직원들의 고충을 백분이해하여 고용안정에 최대한 선처해 줄것"을 청원(90.1.15)한바 있으며 특별결의, 성명서, 궐기대회등을 통해(별첨) 우리의 강력한 의지와 한인근로자들에 고용안정 대책을 강력히 촉구해온바 있습니다.

또한 미국방장관 내한회담(90.2.15일)에서 체니 미국방장관은 "한국인 노무자 연간인건비 3억8천만 달러를 한국측에 부담해 줄것"을 요구해온바 있으며,

현재 한.미 4인위원회가 구성되어 주한미군 철군에 따른 세부 문제가 거론되고 있음에도 주한미군 한인근로자들의 사후대책에 아무런 방안이 없다는것은 큰문제라 아니할수 없습니다.

우리 근로자들은 40여년간 주한미군과의 합동으로 군사상 필요한 장비 및 정비와 작전사항에 지원업무로만 일관하여 왔으며 현25,000여명 중 25%가 50세 이상이며, 30-40세가 50% 그리고 30세미만이 25%로 분류되어있는 상황으로서 실업사태가 크게 야기될시 매우 심각한 문제라

0030

아니할수 없습니다.

우리의 고용주인 주한미군당국은 10여년전 종업원들에 퇴직금을 일괄지급하고 그후 매년 지급해옴으로 퇴직금을 예치하지 못해 사후대책이 전무한 상태로서 고용주는 그동안 누적시켜온 누진율(약40개월분에 해당하는 평균임금)을 적용 사후대책비로 당연히 보상하여야 할것입니다.

조합은 고용주측에 수년전부터 퇴직금 누진제를 주장해왔으나 이를 시행치못한 책임을 져야 할것이며 근로자들이 장기근속으로 현 평균 연령이 50세가 넘는 상태임으로 도덕적 차원에서 별도대책을 마련 응분에 보상금을 지불해야 할것입니다.

또한 조합이 조사한바에 의하면 과거 일본 오끼나와기지 철군 당시도 이와대등한 사후대책 보상금을 지불한바있어 우리에게도 당연히 이를 적용토록 해야 할것입니다.

차제에 한.미 정부당국은 주한미군 철수 및 폐쇄에 따른 실직 근로자의 보상대책과 고용안정대책이 시급할 실정이며 성의있는 대처방안이 있어야 될줄 믿습니다.

우리 근로자들은 집단적 행동으로인한 보장성 요구에 앞서 협의와 협조속에 원만한 조치를 기대하는 입장에서 이와같은 청원을 올리게 되었아오니 국회 정책차원에서 적극적인 배려가 있으시길 바랍니다.

유 첨: 결의문 및 성명서 각 1부. 끝.

1990. 4. 2.

전국주한미군노동조합
위원장 강 인 식

주 소: 서울시 용산구 한강로2가 186번지
전 화: 793-1862, 798-3564

0031

한.미 정부당국의 책임있는 고용안정 대책에 관한
특 별 결 의 문

우리는 6.25 남침이후 40여년간이라는 오랜세월동안 온갖 시련과 함께 주한미군 작전업무를 지원해오며 국토방위의 일익을 담당해 왔으며 경제발전과 민간 외교사진이라는 사명감을 가지고 충실히 근무해 왔다.

현 국제관계는 동서냉전의 시대를 청산하고 이념을 초월한 화합의 분위기가 조성되고 있으며 폐쇄적이던 동구공산국가의 개방과 함께 민주화 물결로 국제관계가 크게 변모해가고 있으나 아직도 북한은 6.25당시와 같은 집권체제속에 적화통일의 망상을 버리지 못하고 있으며 남북이 대치상태에서 주한미군 철군을 우려하는바이며 우리는 주한미군 25,000여 한인직원들의 고용안정 대책을 위해 한국정부 당국과 주한미군 당국에 확실한 고용안정 대책을 청원(90.1.15)한바 있으나 근간 한.미 양국당국이 한인근로자들에 아무런 대책없는 주한미공군 일부 철수발표(90.1.30)에 큰 분노와 충격을 금치 못하는 바이다.

우리 주한미군 25,000여 근로자들은 40여년간을 온갖 어려운 상황속에서 주한미군과의 합동으로 군사상 필요한 장비의정비와 작전상의 지원업무만을 일관해 왔으며 일반사회업무와는 특이한 관계로 만일의 사태에 실업문제가 야기될시 매우 심각한 문제라 아니할수 없다.

0032

이러한 특수한 상황하에서 근무하고 있음에도 주한미군 철수계획을 수립함에있어 한.미 양국정부당국이 한인근로자들에 대한 고용안정 대책을 전혀 고려하지 않은점에 대해 분노를 금치 못하며 강력히 항의하는 바이다.

우리는 주한미군감축 및 철수계획과 무관하지않는 똑같은 직결된 관계에 있으므로, 금번 미국방장관의 내한(90.2.14) 한국정부당국과 철수대책 숙의과정에서 한인근로자들의, 고용안정 문제를 책임성있게 다뤄야 할것이며, 주한미군 25,000여 한인근로자들의 대표와 면담을 촉구하는 바이다.

우리도 외국군대는 언제가 나가야 한다는것과 자주적인 민족통일을 염원하는 바이나 금번 한.미 양국정부당국이 주한미군 철수계획을 발표함에있어 40여년간을 온갖 시련속에서도 성실하게 근무해온 25,000여 한인근로자들의 고용안정 문제에 대해 일언반구의 거론조차없는 사실에 대해 실망과 분노를 금치 못하는 바이며, 한.미 양국정부당국은 주한미군 철수계획에 따른 주한미군 25,000여 한인근로자들에게 책임있는 고용안정 결정을 내려줄것을 강력히 촉구하는 동시에 만일 한.미 정부당국이 책임있는 고용안정 대책에 결정이 없을시는 전체 한인근로자들은 과감한 투쟁도 불사할것을 만천하에 천명하며 다음과같이 강력히 결의 한다.

다 음

1. 한국정부 당국은 주한미군 철수계획을 발표함에 있어 전체 한인근로자들에 대한 고용안정 대책에 일언반구의 거론도 없는 무책임성을 강력히 항의하며, 책임있는 고용안정 대책을 수립하라.

0033

1. 미정부 당국은 주한미군 철수계획을 수립함에있어 40여년간을 충실히 근무해온 전체 한인근로자들에 대한 고용안정 대책없는 무책임한 철군 계획에 대해 분노를 금치 못하며, 책임있는 고용안정 정책을 밝힐것을 강력히 촉구한다.

1. 우리는 금번 주한미군 철수문제와 관련하여 내한하는 미국방장관과 고용안정 대책 협의를 위해 주한미군 25,000여 한인직원들의 대표자와 면담을 촉구한다.

1990. 2. 2.

전 국 주 한 미 군 노 동 조 합

중 앙 위 원 회 위 원 일 동

0034

성 명 서

" 한.미 양국정부는 주한미군 한인 노동자들의 생존권을 보장하라"

당연맹은 한.미 양국정부가 주한미공군기지 폐쇄발표 및 지상군 감축에 관한 논의를 하면서 전국주한미군 노동조합(위원장 강인식)측의 강력한 요구에도 불구하고 주한미군 한인노동자들의 생존권과 직결되는 생계 보장이나 고용안정등에 관한 언급조차 하고있지 않아 이에 대해 크나큰 우려를 나타내지 않을수 없다.

용역업체를 포함한 4만 주한미군 한인노동자들과 20만 가족들은 그동안 남북분단의 현실을 몸으로 체험하면서 열악한 근로조건과 민족적 차별에도 불구하고 국토방위는 물론 국가경제 발전과 민간외교 사절로서의 긍지를 갖고 일해왔다.

그런데 작년 주한미군 당국의 감원조치로 인해 많은 실업자가 속출한 상황에서 또다시 한.미 양국이 주한미군 기지폐쇄 및 감축문제를 논의하면서 주한미군 한인노동자들의 고용안정과 사후대책이 전무한 현실에 직면하여 당연맹은 이를"노동자생존권 수호"라는 차원에서 투쟁할것을 천명하면서 다음과 같이 우리의 입장을 밝히는 바이다.

다 음

1. 한.미 양국정부는 앞으로 주한미군 감축과 철수를 논의함에 있어서 주한미군 노동조합의 요구에 기초한 노동자들의 생계보장과 전직대책등 구체적인 고용안정 대책을 적극 수립하라!

0035

1. 주한미군 사령부는 감축계획을 수립함에 있어서 40여년간 근무해온 노동자들에게 책임있는 보상책을 마련하라.

1. 우리는 이와같은 우리의 정당한 요구가 관철되지 않을경우 4만 노동자들의 생존권 수호를 위해 조직적 투쟁도 불사할것을 엄숙히 천명하는 바이다.

1990. 2. 14

한국노동조합총연맹

위원장 박종근

0036

주한미군노동자와 외자기업노동자의 생존권 보장을 위한 결의문

우리는 주한미군 감축 및 철수계획에 따른 노동자의 생존권 파괴와 외자기업의 부당한 휴.폐업, 자본철수, 노조탄압의 척결을 위해 다음과 같이 결의한다.

1. 한.미 양국정부는 주한미군의 감축 및 철수계획에 따른 한인노동자의 고용안정 대책을 즉각 수립하라.
1. 한.미 양국정부는 최근 미공군기지 폐쇄에 따른 실직노동자의 생계비 보장을 국제관례에 따라 충분히 보상하라.
1. 우리는 한.미 양국정부에서 주한미군 감축계획 발표와 함께 전체 한국인 노동자들에 대한 고용안정대책 논의가 없었다는 양국정부의 무책임성을 강력히 규탄한다.
1. 우리는 차후 주한미군 당국이 감축을 이유로 무분별한 감원을 자행할 경우 노동자의 생존권 사수를 위해 조직력을 총동원하여 투쟁할 것을 결의한다.
1. 정부는 노동자의 생존권을 말살한 체 철수하는 외자기업의 횡포를 더이상 방관하지 말고 근본적인 대책을 강구하라.

1990년 2월 22일

1990년도 노총 전국대의원대회

0037

0038

기 안 용 지

분류기호 문서번호	미안 01225- 54552	(전화 : 720-2324)	시 행 상 특별취급	
보존기간	영구.준영구. 10. 5. 3. 1.	장 관		
수 신 처 보존기간				
시행일자	1990. 10. 31.			

보조기관	국 장	전 결	협조기관		문서통제
	심의관				
	과 장				
기안책임자		김 인 철			발 송 인

경 유		발신명의	
수 신	노동부장관		
참 조	노정국장		
제 목	주한미군 노조 노동쟁의 발생신고		

1. 주한미군 노조의 90.10.19 쟁의발생신고(전주노 90-118)와 관련입니다.

2. 주한미군 노조의 노동쟁의는,

ⅰ) 고용주인 주한미군과의 고충처리 및 노사관계 절차를 통한 해결 노력을 다하고,

ⅱ) 노동부 조정을 위한 회부 및 해결노력 절차를 완료한후, 합의가 이루어지지 않을시에 노무 분과위의 건의에 따라 SOFA 합동위에 회부 가능토록 되어있읍니다. / 계속...

0039

3. 아울러 단체행동을 취하기 위해서는 동건이 상기 절차에 따라 합동위에 정식 회부된 날로부터 70일이 경과하여야 합니다.

4. 상기 절차에 관해서 해당 노조에서 잘못 이해하지 않도록 귀부에서 조치하는 것이 필요할 것으로 판단됩니다. 끝.

0040

10/30

【第3種郵便物(가)급認可】 동 아 일 보

駐韓美軍근로자 減員바람

대량失職 집단반발

對策요구 協商6개월 진통

"내년초 罷業도 不辭"

올 2百45명 감원…千명 추가통보

주한미군이 올해들어 자국정부의 예산감축과 주한미군 단계적감군방침을 이유로 국내미군기지에서 근무하는 한국인근로자들을 대폭 감원하고있어 주한미군부대에서 근무하고있는 한국인 근로자들이 크게반발,단체행동의 조짐을 보이고있다.

주한미군노조는 지난5월부터 주한미군당국과 단체협상을 벌이고 있으나 감원문제를 둘러싸고 6개월째 단체협상이 난항을 거듭하자 지난19일 노동부와 한미합동위원회측에 쟁의발생신고를 제출하고 파업도 불사하겠다는 강경자세를 보이고있다.

주한미군노조에 따르면 현 노조원총 2만4백15명 가운데 올해들어 미군당국으로부터 감원된 인원은 모두2백45명(육군55명 공군1백90명)이며 앞으로 감원대상에 올라 이미 감원통보를 받은 근로자들이 미 공군과 육군을 합해 1천88명에 이른다는 것.

세부적인 감축인원을 보면 유류보급,업무를 맡고있는 근로자 5백명을 비롯,한국인노무단(KSC)3백명등이 내년중 감원을 통고받았으며 통신여단(57명)초청청부근무자(50명)등이 연내에 감원될 예정이다.

또 지난1월 미국정부가 오는 92년까지 기지철수를 발표한 光州 大邱 水原등 3개공군기지의 한국인근로자 9백여명도 기지가 철수되면 어쩔수 없이 일자리를 잃을 것으로 노조측은 보고있다.

더구나 주한미군내 한국인근로자들은 1년근무후 1개월의 퇴직수당을 그때그때지급하는 「1년청산식」이어서 퇴직을 하더라도 실제받을수있는 퇴직금은 거의 없어 생계대책이 막연하다고 호소하고있다.

주한미군노조측은 현재 주한미군당국에 △감원계획에 앞서 근로자들의 사후생계대책을 보장할것 △현 단체협약상 근로자를 별다른 예우나 대책없이 감원할수있게한 규정을 삭제할것등을 요구하고 있으며 이같은 요구가 받아들여지지않을 경우 한미행정협정상 쟁의발생신고후 70일간의 냉각기간이 끝난후인 91년1월초 파업에 돌입한다는 계획을 세워놓고있다.

0041

"노사관계 안정"

노 동 부

노정 32220-17101 503-9730 1990. 12. 12.

수신 외무부장관

제목 주한미군 노동쟁의 합동위원회 상정

1. 관련 : 전주노 제90-118호('90.10.19)

2. SOFA 제17조 제4항 (가) (1) 규정에 따라 관련호로 우리부에 신고된 주한미군 노조의 노동쟁의와 관련, 당부에서는 그간 노사간 쟁의사안에 대한 조정을 하였으나 총 9개 사유중 3개 사유에 대한 조정에 실패하여 SOFA 제17조 제4항 (가) (2) 규정에 따라 합동위원회에 이를 회부하오니 조속히 처리하여 주시기 바랍니다.

첨부 : 1) 노동부 조정안

2) 노동부 조정안에 대한 노.사 양측의 입장

3) 노동부 조정회의 결과. 끝.

노 동 부 장

노정국장 전결

"산업평화 정착"

35071

0042

기 안 용 지

분류기호 문서번호	노정 32220-15343	(전화 : 503-9730)	시행상 특별취급	"fax 시행"
보존기간	영구, 준영구 10. 5. 3. 1	장 관		
수신처 보존기간				
시행일자	1990. 11. 4.			

보조기관			협조기관		문서통제
	차 관				
	국 장	전 결			
	과 장				
기안책임자		엄현택			발송인

경유 수신 참조	수신처 참조	발신 명의	장 관
제 목	노동부 조정안 제시		

1. 관련 : 전주노 제 90-118호 ('90.10.19.)

2. 관련호로 주한미군 노조에서 우리부에 발생신고한 노동쟁의에 대하여 조정안을 별첨과 같이 제시하니 이에 대한 의견을 '90.11.8. 까지 회시하여 주시기 바랍니다.

첨부 조정안 각 1부. 끝.

수신처 : 주한미군노조위원장, 주한미군민간인인사처장

0043

" 노사관계 안정 "

Fax 시행

노 동 부

노정 32220- 15343. (503-9730) 1990. 11. 5.

수신 수신처 참조

제목 노동부 조정안 제시

1. 관련 : 전주노 제 90-118호 ('90.10.19.)

2. 관련호로 주한미군 노조에서 우리부에 발생신고한 노동쟁의에 대하여 조정안을 별첨과 같이 제시하니 이에 대한 의견을 '90.11.8. 까지 회시하여 주시기 바랍니다.

첨부 조정안 각 1부. 끝.

발송 1990. 11. 05 노동부

노 동 부 장

노정국장 전결

수신처 주한미군노조위원장, 주한미군민간인인사처장.

" 산업평화 정착 "

0044

1. 주한미군 당국의 철군계획에 따른 무모한 감원계획을 절대 반대

ㅇ 노조에서는 금년들어 '90. 10. 22. 현재 주한미 공군계통 190명 감원 및 감원통보 75명, 주한미 육군 계통 968명의 감원이 예상된다고 주장하면서 주한미군 철수 및 예산 감축이라는 명분하의 무모하고도 대책없는 감원을 반대

ㅇ 주한미군에서는 주한미군 철수결정은 미 국방성 등 본토에서 결정이 되고 있어 그대로 따를 수 밖에 없는 것이며, 국방예산 삭감 등으로 감원은 현실적으로 불가피한 실정임. 따라서 감원규모 자체에 대하여는 노조측과 협의할 수 없으나, 다만 감원으로 인한 피해를 줄이는 노력을 기울이고 있으며 이 문제에 대하여 노조측과 최대한 협력할 용의가 있다고 함.

ㅇ 노동부에서는 주한미군의 철군 등 사유로 감원이 불가피한 경우도 있음을 유념하고, 노조에서 주장하는 바와 같은 「감원 절대 반대」는 합리적이라고 판단하지 않으나, 급작스러운 감원 결정으로 야기되는 근로자 신분에 대한 중대한 영향을 감안하여 주한미군측에서 감원규모의 결정문제에 대하여 뿐만아니라, 감원시 감원대상의 선정절차 등에 대하여도 노조와의 진지한 협의를 거쳐 감원을 최소화하는 노력을 기울여야 할 것이며, 특히 소요인력에 대한 객관적인 장단기 수급전망, 자연 감소율 등을 종합적으로 검토하여 주한미군측의 일방적인 감원이 되지 않고, 감원자체가 예측가능하도록 하여야 할 것임.

0045

2. 사후대책 보상금으로 그동안 누적되어온 약 40개월분의 퇴직금 누진율 적용 최소한 40개월분의 평균임금을 지불할 것

o 노조에서는 과거 일본에서 미군 철수당시 퇴직연금제 외에도 생활대책금으로 40개월 이상 임금을 지급받은 전례가 있고, 퇴직금제도가 1년 청산식으로 지급되고 있어 근로자의 사후대책이 사실상 전무한 실정이라고 주장함.

o 주한미군은 현행 퇴직금 지급방식이 1979년 노조와의 합의로 시행된 것이며, 1979년 당시 누진 퇴직금을 일괄 청산한 바 있음. 또한 40개월 임금지급 요구주장은 연 인건비가 4억불 정도이므로 추가 재원부담이 13억불 이상이 되는데 이러한 비용이 국방예산에 반영되어 있지도 않을 뿐더러 이를 부담할 능력도 없다고 반론을 제기

o 노동부는 노조에서 주장하는 40개월분 임금에 상당하는 사후대책 보상금 요구에 대하여, 40개월분을 주장하는 근거로서 제시된 「주한미군의 주둔기간이 40년이 되고, 퇴직금이 1년 청산식」 이라는 논리에는 의견을 같이 하지 않는데 이는 주한미군에서 주장하는 바와 마찬가지로 1979년도에 이미 그 당시 누적된 퇴직금을 주한미군측에서 일괄 청산한 바 있고 또한 현행 퇴직금 방식이 노사간 합의하에 시행된 것이기 때문임. 그러나 노조측에서 주장한 일본의 경우는 음미할만 하며, 미측에서 생활대책금으로 40개월 이상의 임금을 지급한 사례는 주한미군에서도 진지하게 검토할 사항이라고 판단됨.

이런 의미에서 주한미군 한국인 근로자의 근속연수에 따른 사후대책 보상금 차등지급 등을 포함한 적정 보상금액 기준에 대해 노사가 자율적으로 교섭을 하는 것이 바람직하다고 판단되며, 동 요구사항에 대하여 예산 미반영. 재정부담 능력등을 사유로 협의자체를 거부하는 것은 타당하지 못함

0046

3. 현행 휴가제도를 한국노동법에 따라 시정하고 누적된 휴가 및 병가를 전액 현금으로 지급

o 노조에서는 현재 실시하고 있는 휴가제도를 한국 근로기준법에 따라 개정하고 그간 누적된 1인당 1,000시간 정도의 병가를 8% 정도에 불과한 배당금 대신 전액 현금으로 지불하도록 요구하고 있는데, 그 근거로는 대한민국 노동법상 병가 사용시 60%의 평균임금을 휴업급여로 지급하는 것을 들고 있음. 또한 병가 사용시 의사진단서를 첨부하게 하고, 근무성적과 연결시켜 규제가 많기 때문에 병가가 본래 목적과 상치되어 실제로 병가가 필요한 경우에도 사용치 못하는 사태도 발생되고 있음을 주장

o 주한미군에서는 휴가제도 개정문제와 관련하여 이미 1987년에 노조측에 휴가. 병가에 대한 현행 방식 또는 한국노동법에 의한 방식중 택일토록 제안한 바 있으며, 제안이후 노조측으로 부터 의사표명이 없었다고 주장하면서, 휴가 제도 개정문제는 노조측과 언제라도 교섭할 용의가 있음을 표명.
또한 누적된 병가의 현금지급 요구에 대하여는 병가 자체가 실제발병시 100% 월급지급을 전제로 하는 일종의 질병보험 성격을 띤 것으로 이를 전액 현금으로 지급하도록 요구하는 것은 타당하지 않으며, 또한 예산에 반영할 사안도 아니라고 반박함.

0047

ㅇ 노동부에서는 휴가제도 개정문제는 주한미군에서 개정용의가 있기 때문에 문제의 소지가 없다고 보며, 누적된 병가의 현금지급 요구건의 경우 한국의 근로기준법에서는 병가제도에 대하여 근로자가 업무상 부상 또는 질병에 걸린경우 사용자가 요양비 및 휴업보상 (평균임금의 100분의 60) 을 규정하고 있을 뿐 (법 제 78조 및 제 79조), 여타 규정에 대하여는 단체협약이나 취업규칙에 일임하고 있기 때문에 노동법 규정에 따라 누적된 병가분을 현금으로 지급하여야 한다는 논리전개는 타당하지 않다고 봄. 다만 휴가.병가 제도를 한국의 근로기준법에 맞게 개정할 경우 종전 제도하에서 누적된 병가 보상액 (현행 8%) 을 조정하는 문제는 노사간 교섭으로 처리할 사항임. 현실적으로 국내 사업장의 경우 연간 일정한도로 병가를 정하여 놓고 그 기간 미만으로 병가를 사용한 경우 나머지 기간에 대하여 임금으로 지급하는 곳도 상당함.

4. 한미행협 (노무조항) 을 즉시 개정할 것

ㅇ 동 요구는 한.미 양국간 정부차원에서 제기될 사항이며 또 현재 협의가 진행되고 있는 실정임. 따라서 노동쟁의 조정법상의 노동쟁의의 대상이라고 볼 수 없음.

0048

5. 부당한 인사규정 및 단체협약을 즉시 개정

ㅇ 노조에서는 인사규정을 개정하여 대책없는 일방적인 감원을 지양하고 감원시에도 임시직 및 파타임 근로자를 우선 감원토록 하며, 미군측에 요청한 단체협약 개정요구에 대하여도 고섭을 지연하지 말 것을 요구

ㅇ 주한미군에서는 감원규정을 포함한 인사규정은 노사간 교섭으로 개정할 용의가 있으나, 감원규정 개정의 경우 현재 기존규정에 따라 진행중인 감원과 관련하여 사전 조작의혹을 방지하기 위하여 사전에 충분한 기간이 확보되어야 할 것이라고 주장하고 있음. 또한 단체협약 개정문제에 대해서는 현 단체협약이 '90. 5. 말로 만기가 되었으나 노사합의로 '90. 7.부터 고섭키로 한 바 있으며, 주한미군측 개정안이 거의 완료단계에 있어 언제라도 개정고섭을 할 수 있다고 함.

ㅇ 노동부에서는 인사규정이 그간 노사간 고섭에 의해 수차례 개정되어 왔음을 감안, 조속한 시일내에 노사가 개정고섭을 할 것을 권고하며, 단체협약 개정문제도 동일한 맥락에서 즉시 고섭할 것을 권고함. 아울러 감원규정의 개정문제도 노사가 합의하는 한, 일정기간이 필요하다는 주한미군의 주장은 설득력이 없는 것으로 판단됨.

0043

6. 미군가족의 한국인 직종 불법취업 철회

o 노조에서는 미군가족이 현재 한국인 공석 및 기타직종에 수백명 불법취업되어 있으며 특히 '90. 1. 신규채용 동결령 이후에도 춘천, 평택, 용산 시설공병대에 4명이 불법취업을 하고 있다고 주장

o 주한미군에서는 결원발생시 한국인이 원하는 한 미군속가족 보다 우선적으로 한국인을 배치시키고 있으며, 한국인중 희망자가 없을 경우에만 미군가족을 임시직으로 채용할 뿐이며, 감원시에는 임시직으로 채용된 미군가족이 우선적으로 감원되고 있다고 주장하면서 이러한 원칙은 제대로 준수되고 있다고 함. 또한 노조측에서 주장하는 불법취업 사례는 한국인 희망자가 없었기 때문인 것으로 조사결과 판명되었음.

o 노동부에서는 주한미군 가족의 취업에 대해, 동거 목적으로 입국한 자가 한국내에서 취업하는 것은 불법으로 보고 있으나, 주한미군에서는 한미행협 제 1조의 "군속" 에 가족도 포함되는 것으로 폭넓게 보고 있어 한미 양국간 이견이 노정되어 있는 실정임. 따라서 동 문제는 양국간 한미행협에 대한 해석상 일치를 도출 하여야 하는 사항이라고 보여지며, 해석상 합의에 이르기까지는 주한미군에서 주장하는 인사배치 원칙이 제대로 지켜지는 지를 노조에서 유념하여야 할 것임.

7. 감원자 및 일반근로자에 대한 이민특혜 부여

o 동 사항은 노사간 쟁의대상이라고 볼 수 없음.

0050

8. 44시간 이상 근무자에 대한 O.T. 문제를 즉각 철회

o 노조에서는 한국 근로기준법상의 법정 근로시간이 단축된 것과 관련, 유독 근로시간만을 국내법에 따라 개정하므로써 일부조합원의 경우 금전적 손실을 초래케 하고 전체 인건비를 절약하는 것은 잘못된 것이라고 주장

o 주한미군에서는 이번 O.T. 문제의 개정으로 대다수 근로자 (약 80%) 에게는 불리하지 않으나 20% 가까운 근로자는 약간의 임금삭감이 발생하게 되었으며, 절약되는 인건비로 감원을 1명이라도 줄이게 된다면 의미있는 일이라고 주장. 또한 동 사안은 '90. 6. 노조와의 합의로 시행된 것인데 불과 몇개월 만에 이를 개정하자고 주장하는 것은 신의성실에 반하는 것이라고 주장

o 노동부에서는 근로시간의 단축에 따라 근로자 임금이 삭감되지 않도록 행정지도를 하고 있으며 이번 주한미군의 경우에서 처럼 일부 근로자의 경우 금전적 손실이 초래된 것은 유감이라고 보고있음. 그러나 동 문제가 금년 6월에 노사간 합의에 의해 시행된 것이라면 차기 임금고섭시 까지는 이를 거론치 않는 것이 타당하다고 봄.

9. 비조합원에 대해 노사간 협의결정 혜택을 제외

o 단체협약으로 비조합원의 지위를 정하는 것은 부당하며, 노동조합법 제 37조 (일반적 구속력) 위반이 되므로 노동쟁의 대상이 될 수 없음.

0051

전 국 주 한 미 군 노 동 조 합

전주노 제90-134호 793-1862 1990. 11. 7.

수 신 노동부 장관

제 목 "노동부 조정안제시"에 대한 조합견해제시

1. 이는 노정 32220-15343호('90.11.5)와 관련입니다.

2. 당조합의 노동쟁의 발생신고에 대한 대호 노동부조정안을 잘 받아 보았습니다. 그러나 고용주측 입장에 상이점이있어 별첨과같이 조합견해를 제시하오니 재검토하시여 적극 중재있으시기 바랍니다.

첨부: 조정안에대한 조합견해 제시 각1부. 끝.

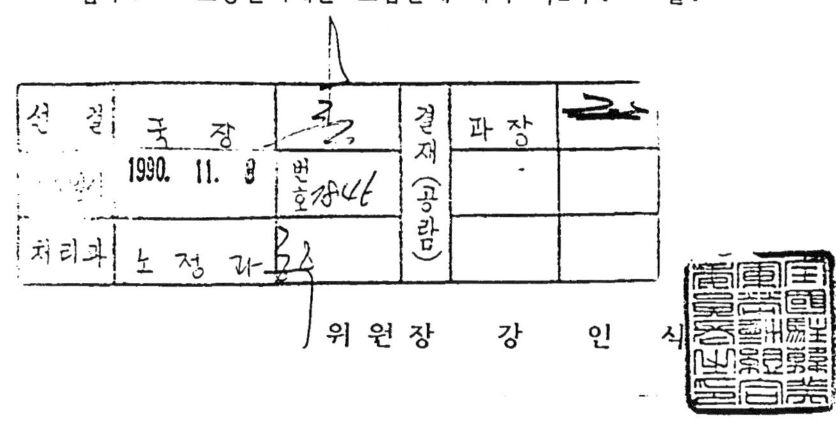

선 결	국 장		결재 (공람)	과 장	
	1990. 11. 8	번호 78646			
처리과	노 정 과				

위 원 장 강 인 식

0052

조정안에대한 조합의 견해 제시

1항, 무모한 감원계획 절대반대

동항에 대한 고용주측의 견해에서 "주한미군철수 결정은 미국방성등 본토에서 결정이 되고있어 그대로 따를수 밖에 없는 것이며"라는 답변은 큰 문제가 있다고 봄.

이에대해 조합이 이미 지적한 바와같이 철군문제에 있어서 결정이전에 근로자들에 대한 대책이나 차선책에 대한 미국방성의 결정내지는 한.미간의 협의가 없었다는점이 본 문제에 쟁점으로서 우선 그에대한 조치가 있어야 할것임. 또한 "국방예산삭감등으로 감원은 현실적으로 불가피한 실정"이라 한 점에대해 이는 그동안의 채용동결로 자연 예산절약이되고 있으며 그이외에 더욱 절약할수있는 여러방법에 조치가 있씀에도 한국인근로자의 수 만을 줄이려는것은 부당한 것으로 볼수밖에 없으며 예산절감 방법의 "예"로,

ㄱ. 미군가족채용 및 고급수자의 한국인근로자의 정년퇴직을 연장함으로서의 예산낭비 철회.

ㄴ. 물자절약으로 예산절감 정책 강화.

ㄷ. 모든 하청업체를 주한미군 한국인 직속근로자에게 전환하여 최소한의 인력으로 업무를 수행하게 함으로서의 예산절감.

2항, 사후대책 보상금으로 퇴직금누진제율 적용 최소한 40개월분 평균임금 지급에 관하여

동건에 대해 주한미군에서 주장하는 바와같이 '79년도의 퇴직금 일괄 지급의 경우는 당시의 주한미군 철수론으로 인한것과 한.미간의 국방정책

0053

이견으로 어쩔수없는 상황이었으나 퇴직금 일시지급 교섭당시 주한미군당국은 한국인근로자에 대한 퇴직금누진으로 인해 재정부담이 큼으로 매년 임금인상도 이로인해 많이 올릴수 없다고하며 퇴직금 수령을 종용했습니다. 또한 이후 '80년도부터 주한미군의 주둔군의 축소이외에 변화가없어 이에 노조측은 근로자 사후대책을 감안 즉각 누진제 부활을 요구하였던바 현재까지 불응하였던 것으로서 국내법령이나 관례상 퇴직금은 퇴직할시 지급함으로서 사후대책의 일환으로 활용할수있는 중요한 법령을 저버린 처사로서 조합의 요구에절대 보장이 되어야 할것이며 예산설정이 안되어있는것과 부담능력 운운은 기피적 행위임으로 용납할수 없음..

3항, 누적된 휴가·병가 전액 현금지급에 대하여

조합은 휴가제도에 관하여 매해년 요구해 왔으나 그때마다 고용주측은 임금인상 체결후 조사하여 조치하도록 할것임을 통보해온바 있으나 매년 똑같은 방법으로 지연시켜 왔씀.

기본문제는 그동안 축적된 병가에 대하여 근로자들이 근무중 혹은 작업장 환경에 따른 영향으로 얻은 신병이 있어도 국방에 중요성과 군작전업무 수행에 차질을 막기위하여 어려운 여건속에 남용하지 않고 축적한 것으로서 조합요구에 이의없이 지급함으로 퇴직시의 사후대책 보조금으로 활용할수 있으며 국내법과 주한미군의 휴가제도에는 장.단점이 있으나 현행 국내법을 따르는 정당한 절차와 동시에 축적된 병가에 대하여는 퇴직시 전액 지급하여야 할것임.

5항, 부당한 인사규정 및 단체협약 즉시 개정에 대하여

0054

동건 인사규정 개정에 관하여 주한미군당국은 자국에 이익이나 편의에 따라 즉각 개정을하고 있으면서 일관성없는 변명으로 지연을 조작하는것은 앞으로 발생되는 감원자에게 불이익 조치는 물론 장기근속자에 대한 면에서도 부당한 것으로서 즉각 개정되어야 할것이며 단체협약 관계도 이미 5개월이나 고의적으로 지연하고 있씀은 변명의 여지가 없는것으로서 동조항 역시 즉각 조합의 요구사항과 같이 체결되어야 함.

6항, 미군인가족의 한국인직종 불법취업에 대하여

주한미군에서는 한국인근로자의 감원발생시 한국인근로자의 우선권을 준다고 하고있으나 현재까지 매년 많은 감원이 있었으나 단1명도 교체된바 없으며 임시직으로 채용된 미군 및 군속의 가족도 교묘한 방법으로 계속 보유하고 있으며 또한 공석이 발생할시 많은 현직근로자가 희망을 하여도 자격문제 혹은 비밀취급등의 명분으로 한국인 현직근로자가 제재되고있으며 각지역 인사처에 취업희망자가 있어도 그들가족에게 우선권을 줌으로서 현실과같이 수백명의 군가족이 취업되어 실질적으로 편성된 한국인근로자의 년간예산을 그들가족에게 과잉집행 함으로서 예산문제가 고조되고 있씀.

따라서 조합은 그들을 전원 해직시키고 한국인으로 대처하여 운영하여야 함은 물론 이로인하여 최소한의 예산절감이 될수있씀.

8항, 44시간이상 근무자에 대한 O.T문제 즉각 철회에 대하여

주한미군측이 주장하고있는 '90. 6월 합의는 모든근로자의 임금인상에 대한 급수별 %만 갖고 합의가 되었으며 동44시간이상 근로자에 대한 O.T적용 문제는 당시 협의과정에서 전혀 손실이 없다는 보장적 답변을 신뢰하고 합의에 임했으나 해당근로자 전원의 항의와 조합이 확인한바 실질적으로 손실이 발생

0055

하였으며 그들을 대상으로 변경할것을 요청한바 80%에 해당하는 근로자가 손실이 없다는것은 그들이 해당자가 아니기 때문임을 반론하는 바이며 20%에 해당하는 근로자의 입장에서 볼때 주한미군내 최하위급에 속하는 영세근로자로서 이와 병행하여 시간감축도 가능케하는 본제도는 잘못된 것으로서 원상 복귀가 되어야 함.

0056

공 란

공 란

공 란

공 란

공　　　란

공 란

공 란

주한미군 근로자 노동쟁의에 대한 노.사.정 입장

쟁의발생이유	노동부 조정안	노조의 견해	주한미군 견해
ㅇ 주한미군 당국의 철군계획에 따른 무모한 감원계획 절대반대 - '90.10.22 현재 . 공군계통 120명 감원 . 공군계통 75명과 육군계통 968명 감원 예정	ㅇ 감원의 불가피성 인정 ㅇ 감원규모 및 감원대상 선정 등 노사간 협의 시행 ㅇ 인력에 대한 장.단기 수급전망 및 자연감소율 등을 종합적으로 검토하여 감원 자체가 예측 가능토록 하여야 함.	ㅇ 감원의 불가피성은 인정 ㅇ 다만, 감원시 사전 대책이 없었다는 점에 불만 ㅇ 예산절감 대안 제시 - 한국인 근로자의 정년퇴직을 연장함으로써 예산 낭비 절감 써 예산 낭비 절감 - 물자절약으로 예산 절감 정책 강화 - 모든 하청업체를 주한미군 한국인 직속 근로자에게 전환하여 최소한의 인력으로 업무수행케 함. ㅇ 단체협약 제9조 (감원의 처리) - 감원 자체의 타당성 등에 대하여 주한미군과 협의가 되지 않는 한 감원은 수용할 수 없음.	ㅇ 예산. 조직 및 근로자 수의 변경 문제는 사업주의 고유 권한임 (단체협약 제8조) ㅇ 감원폭을 줄이기위한 대응 변수들을 강구해왔고 이에 대해 노조측과 협의할 용의가 있음. ㅇ 그러나 향후 예상되는 감원 계획으로 대량 감원이 불가필 할 것임. 0064

쟁의발생 이유	노동부 조정안	노조의 견해	주한미군 견해
ㅇ 사후대책 보상금으로 그동안 누적되어온 약 40개월분의 퇴직금 누진율 적용 최소한 40개월분의 평균임금을 지불할 것. - 주일미군의 경우에서 선례 존재 - 1년 청산식 퇴직금제도는 사후대책이 전무한 실정임.	ㅇ 주한미군 노조측의 주장은 1979년에도 누적된 퇴직금 일괄청산한 사실이 있고 또 현행 퇴직금 방식이 노.사협의하에 시행됐다는 점에서 설득력이 적음. ㅇ 그러나, 주일미군의 경우 생활대책금으로 40개월 이상의 임금을 지급한 선례가 있다면 이 문제에 대한 진지한 검토가 필요함. ㅇ 여하튼, 이 문제에 대해 노.사의 자율적인 교섭이 바람직하며 예산의 미반영. 재정부담 능력 등을 이유로 협의 자체를 거부하는 것은 타당치 못함.	ㅇ 1979년도의 퇴직금 일괄 지급의 경우는 어쩔 수 없이 종용된 것임. ㅇ 국내법령이나 관례상 퇴직금의 퇴직시 지급은 절대보장돼야 하며 예산설정이 안되어 있다거나 부담능력 운운은 언어 도단임. ① 차등지급	ㅇ 노동부 조정안은 충분히 이해됨. ㅇ 주일미군에서 이러한 士‖가 있다는 점은 조사 결과 밝혀내지 못했음. ㅇ 이 문제에 관해 주한미군 노조와 협의하겠지만 좋은 결과가 도출되리라 생각되지 않음. 0065

쟁의발생이유	노동부 조정안	노조의 견해	주한미군 견해
ㅇ 현행 휴가제도를 한국 노동법에 따라 시정하고 누적된 휴가 및 병가를 전액현금으로 지급 - 현행 휴가제도를 한국 근로기준법에 따라 개정 - 누적된 1인당 병가(1,000시간)를 전액 현금지급 (60% 평균임금) - 의사 진단서 제출 및 근무성적과 연계시켜 병가 사용이 사실상 제한되고 있는 실정임.	ㅇ 휴가제도의 개정 문제는 주한미군측의 개정용의가 있기 때문에 문제의 소지가 없다고 봄. ㅇ 누적된 병가 보상액 조정문제는 노.사간 교섭 처리 사항임.	ㅇ 주한미군 노조측의 휴가제도 개정요구에도 불구하고 주한미군은 매년 똑같은 방법을 시행했음. ㅇ 근로자들이 근무중 또는 작업장 환경에 따른 영향으로 얻은 신병으로 인한 병가기회를 축적한 사실이 있음에도 불구하고 국내법규에따라 축적된 병가분에 대해 전액 현금지급하지 않는 것은 잘못.	ㅇ 노동부의 조정안에 동감함. ㅇ 병가누적분에 대한 현지급 의사가 없고 또 지급할 수도 없음. 0066

쟁의발생이유	노동부 조정안	노조의 견해	주한미군 견해
ㅇ 한미행정 (노무조항)을 즉시 개정할 것.	ㅇ 이 문제는 한.미 양국간 정부 차원에서 재기될 사항이며 또 현재 협의가 진행되고 있는 실정이기에, 노동쟁의 조정법상의 노동쟁의의 대상이 아님.	——	- 노동부 조정안에 전적으로 동감 함.
ㅇ 부당한 인사규정 및 단체협약을 즉시 개정 - 인사규정을 개정하여 대책없는 일방적 감원 지양 - 감원시 임시직 및 파타임 근로자 우선 감원 - 미군측에서 요청한 단체협약 개정 교섭즉각 개시	ㅇ 인사규정 및 단체협약 개정은 노.사간 교섭에 의해 조속 착수 요망 ㅇ 감원규정 개정 문제도 노사합의한 일정기간이 필요하다는 주한미군측의 주장은 설득력이 없음	ㅇ 인사규정과 단체협약의 개정을 주한미군측이 고의적으로 지연시킴으로써 감원자나 장기근속자에게 막대한 불이익이 초래되고 있음.	ㅇ 감원과 관련하여 주한미군측은 대응변수들을 강구하고 있음 ㅇ 단체협약 개정 노력은 '90.11.15에 착수됐음 (4차례 모임을 갖었음)

0067

쟁의발생이유	노동부 조정안	노조의 견해	주한미군 견해
ㅇ 미국인 가족의 한국인 직종 불법취업에 대하여 - 현재 한국인 공석 및 기타 직종에 수백명의 미군인 가족이 불법취업하고 있음 - '90.1 신규채용 동결정 이후에도 춘천.평택.용산 시설 공병대에 4명이 불법 취업하고 있음.	ㅇ 이 문제는 군속에 대해 한.미 행협에 대한 해석상 일치를 도출하여야 하는 사항임.	ㅇ 한국인 근로자의 감원 발생시 한국인 근로자의 우선권을 인정한다는 주한 미군측의 주장은 기만입이 드러났음. ㅇ 수백명에 달하는 미군가족에게 실질적으로 한국인 근로자에게 편성된 연간예산이 그들 가족에게 과잉 집행되고 있는 실정임. ㅇ 미군인 가족 전원 해직시킴과 동시에 한국인 근로자로 대처 운영해야 함은 물론 예산상의 절감 효과도 노림	ㅇ 노동부 조정안에 동감 "합동위원회 상정" 0068

쟁의발생이유	노동부 조정안	노조의 견해	주한미군 견해
ㅇ 갑원자 및 일반근로자에 대한 이민 특혜 부여	ㅇ 이 사안은 노사간 쟁의대상이 아님.	——	ㅇ 노동부 조정안에 동감.
ㅇ 44시간 이상 근무자에 대한 O.T 문제를 즉각 철회 - 유독 근로시간만 국내법에 따라 개정한 것은 일부 조합원에게 금전적 손실을 초래케 하는 행위임.	ㅇ 근로시간 단축에 따른 임금삭감 사례가 없도록 하는 행정지도에 불구하고 주한미군에서 금전적 손실이 초래되었다면 유감임 ㅇ 그러나 동 문제가 금년 6월에 노.사간 합의에 의해 시행된 것이라면 차기 임금교섭시 까지는 이를 거론치 않는 것임 타당함.	ㅇ '90.6 합의는 합의과정에서 근로자에 대한 O.T문제와 관련 근로자에게 전혀 손실이 없다는 보장적 답변을 신뢰했기 때문에 이루어진 것이고, ㅇ 20%에 해당하는 주한미군내 최하위급에 속하는 영세근로자는 실제로 피해를 보고 있음.	ㅇ 현재 1주 44시간 초과근무에 대한 수당지급을 규정한 새로운 O.T 규칙 그 자체는 1년 보수액을 감안할 때 임금삭감을 유발치 않음. ㅇ 이 규칙 때문에 20% 근로자들이 임금삭감 될 것이■ 주장에 찬성할 수 없음은 1주 44시간 초과근무자가 20% 이하라고 생각치 않기 때문임.

0063

쟁의발생이유	노동부 조정안	노조의 견해	주한미군 견해
o 비조합원에 대한 노사간 협의 결정 혜택 제외	o 노동조합법 제37조 위반으로 노동쟁의 대상이 아님	— 비조합원의 노조 활동 방해 행위 금지 및 처벌	o 근로시간 설정 문제는 사용자의 고유 권한이며 O.T 규칙 개정 여부와 관계없이 예산상 근로시간 감축 및 임금삭감은 불가피 했을 것임. o 노동부 조정안에 동의함.

0070

駐韓美軍 勞動爭議 調整結果 報告

1990. 12. 10.

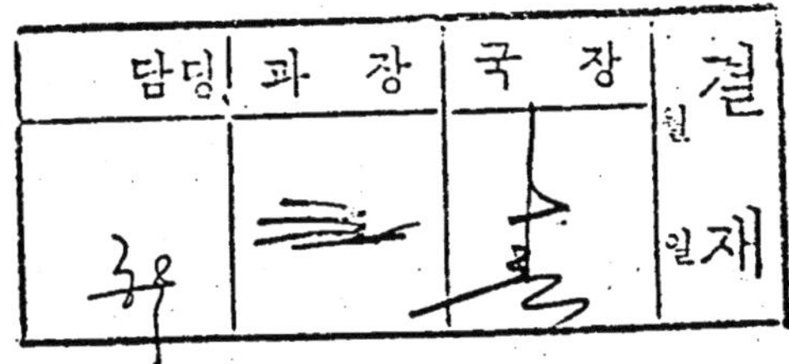

0071

회의 개요

ㅇ 일 시

- 제 1 차 : '90.12. 6.(14:00-17:00)
- 제 2 차 : '90.12.10.(14:00-16:20)

ㅇ 참 석 자

- 노동부 : 노정과장, 국제담당
- 노조측 : 노조위원장, 사무국장, 서울지부장
- 미군측 : 민간인인사처장, 인사담당, 노동고문

조정 결과

1. 무모한 감원계획 반대

ㅇ 미군측에서 감원사유를 인지한 이후 곧바로 노조측과 감원규모, 감원시기, 감원대상자 선정, 감원구제 방법등을 협의하고, 감원으로 인한 부작용을 최소화 하는 노력을 강구토록 함.

ㅇ 다만, 주한미군 노조에서 제시한 감원구제를 위한 예산 절감 방안 (정년연장 금지, 하청업체의 직영화)에 대하여는 양측간 주장이 대립되어 합의에 이르지 못함. 정년 간섭

0072

2. 사후대책 보상금 지급(40개월분의 임금)

o 이직시 보상금을 지급하는 것은 바람직하나 어떤 방식으로 누가 비용을 부담할 것인가에 대하여는 합의에 이르지 못함.

o 노조측에서는 40개월분 지급 요구는 신축적으로 조정 가능한 것이라고 하였으나, 미군측에서는 매년 청산되는 퇴직금 이외의 비용을 추가 부담할 수 없다고 주장 [illegible]

3. 누적된 병가의 전액 현금지급 및 휴가제도를 노동법에 따라 개정

o 노조측에서는 그간 누적된 병가(1인당 평균 1,000시간)를 전액 현금으로 지급토록 요구하고 있으나, 미군측에서는 병가제도 자체가 질병보험으로서의 성격을 띠고 있는 것이므로 이를 전액 현금으로 지급할 의사도 재력도 없음을 주장 [illegible]

4. SOFA 개정

o 동 사안은 노동쟁의 대상이 될수 없음.

o 다만 현재 진행중인 개정 작업이 완료된 후 노조측에서 개정을 요구하는 것은 별도의 문제임.

0073

5. 인사규정 및 단체협약 개정

ㅇ 인사규정중 감원에 대한 문제는 제1번 사안과 동일하므로 논의 대상에서 제외

ㅇ 단체협약 개정 문제는 현재 노사간 교섭이 진행중이므로 쟁의조정 대상에서 제외

6. 미군가족 불법 취업

ㅇ 동 사항은 SOFA 제17조 제1항 단서조항에 대해 한.미간 해석상 불일치에 기인한 것이고, 이와 관련 미군에서 합의각서 체결을 요구한 바 있음.

ㅇ 따라서 합의각서(안)을 합동위원회에 별도로 회부하여 문제해결을 시도하되, 이견 조정시까지는 미군내 공석 발생에 따른 결원 보충시 한국인 신청자가 있을 경우 한국인 근로자를 우선적으로 고려하기로 함.

당연히 그래

7. 이민 특혜 부여

ㅇ 동 사안은 쟁의대상이 아님.

ㅇ 다만, 미군측에서 고용경력이 15년 미만이라도 이민이 가능토록 대사관에 주의를 환기시키기로 함.

0074

8. O.T. 문제

o 노조측에서 '91년도 임금교섭시까지는 거론치 않기로 하여 쟁의대상에서 철회함.

9. 비조합원 차별 대우

o 노조측에서 동 사안이 노동조합법 위반이라는 노동부 조정안을 수용하여 이를 철회함.

o 다만, 노조측은 미군측에서 비조합원이 근무시간중 반노조 활동을 하는 것을 묵인하고 있다고 주장, 이에대해 미군측은 조합원, 비조합원을 막론하고 근무시간중 노조활동, 반노조활동을 하는 경우 동일한 제재를 가할 것을 확약함.

0075

2. 1991

0076

기 안 용 지

분류기호 문서번호	미안 01225-2240	(전화 : 720-2324)	시 행 상 특별취급	
보존기간	영구.준영구. 10. 5. 3. 1.	장 관		
수 신 처 보존기간				
시행일자	1991. 1 .11 .			

보조기관			협조기관		문 서 통 제
	국 장	전 결			검열 1.18
	심의관				
	과 장				
기안책임자		김 인 철			발 송 인

경 유		발신명의		1991. 1. 1 의무부
수 신	노동부장관			
참 조	노정국장			

제 목 주한미군 노조 노동쟁의 합동위원회 회부에 대한 의견

1. 노정 32220-17101(90.12.12) 관련 입니다.

2. 주한미군 노조 노동쟁의 합동위원회 회부에 대한 의견을 별첨과 같이 통보드립니다.

첨 부 : 주한미군 노조 노사분쟁 합동위 회부에 대한 의견 1부. 끝.

0077

주한미군 노조 노사분쟁 합동위 회부

1991. 1.

o 지금까지 주한미군 노조 관련 노사분쟁은 SOFA 제17조의 분쟁조정 규정에 의거해서 해결되지 않은 경우가 많으며 이러한 분쟁이 합동위에 회부된 경우가 없으나, 합동위를 통하여 노사 분쟁을 해결하는 것이 바람직 함

o 합동위 회부를 위해서는 회부 기산일자등에 대한 기준을 새워야 하는바,

- 합동위가 상설 기구가 아니며 합동위의 활동은 회의록 기록을 통해서 구속력을 갖게되므로 노사 분쟁의 합동위 회부는 합동위가 개최되고 동 회의에서 회부에 쌍방대표가 동의 할 경우 동 일자에 이루어지는 것임
- SOFA 제28조에 따르면 합동위는 쌍방 대표의 임의 요구에 의해 수시로 개최 될 수 있으나, 현실적으로 매 합동위시 차기합동위의 개최일자를 정하므로 사안이 긴급한 경우, 경우에 따라서는 쌍방 대표간에 차기 합동위시 정식 승인을 조건으로 하는 "긴급 조치" 각서 교환을 통해서 합동위에 회부하는 조치를 취할수 있음
- 이 경우에 각측 대표에 대한 분과위 합의보고와 대표들의 동의가 있어야 함

0078

o 합동위 회부후 취할 수 있는 조치로는 특별위원회 구성 또는 합동위 에서의 검토등이 있으나,

- 실질적으로 합동위 대표 및 간사가 합동위를 구성하기 때문에 합동위 검토는 기존에 문제를 다루던 노동부를 중심으로 한 노무 분과위가 아니라 외무부가 주관이 되어 교섭을 하는 형식이 됨
- 외무부는 주한미군 노조와 직접 접촉이 가능하지 않은바, 노동부에서 제공하는 자료를 기초로 평가. 교섭하는 수 밖에 없어 실제 의도된 교섭효과를 보게 될지는 불분명 함
- 따라서 노동부가 주가되고 외무부 SOFA 부간사 정도가 포함된 특별 위원회를 구성하여 위임하는 방안을 생각할 수 있음

o 쟁의 사항중 미 합의된 3개 사항에 대한 당부 의견은

- 주한미군 규모.구조 조정에 따른 감원에 대한 대책 수립 :
  . 근로자 자연 감원율에 따른 조정을 통해 감원 예측성 확보 및 전체적인 국내 실업 정책 차원에서 검토 및 대안 마련

- 퇴직금 누진제 부활 및 소급 적용 :
  . 퇴직금 누진제 부활을 협의하는 것이 가능겠으나 퇴직금 누진제가 국내 관계법에 규정되어 있지 않을경우 소급 적용을 하기는 어려울 것으로 봄

0073

- 미사용 병가에 대한 보상금을 봉급에 계상하여 지급 :

. 국내 노동관계법 규정 범위내에서 적용 교섭

등이며 당부의견을 참조하여 합동위 개최시까지 귀부에서 조정 노력을 계속하는 것이 필요함

o 과거 주한미군 노사 분쟁은 단체행동에 의한 여론환기 만을 했을뿐 상호 협의를 통한 실질적인 해결은 하지 못한 경우가 많은 바, 앞으로 실익 추구의 조용하고 깊이있는 교섭을 통해서 문제의 근본을 해결하는 방안을 추진하는 것이 바람직 하다고 생각됨

- 끝 -

0080

기 안 용 지

분류기호 문서번호	미안 01225-7127	(전화 : 720-2324)	시 행 상 특별취급	
보존기간	영구.준영구. 10. 5. 3. 1.	장 관		
수 신 처 보존기간				
시행일자	1991. 2 . 18.			

보조기관			협조기관		문서통제
	국 장	전 결			
	심의관				
	과 장				
기안책임자		김 인 철			발송인

		발신명의		
경 유				발송송 1991. 2. 19 외무부
수 신	노동부장관			
참 조	노정국장			
제 목	주한미군 노조 노동쟁의 합동 위원회 회부			

1. 미안 01225-2240 (91.1.18) 관련입니다.

2. 90.10 쟁의 발생 신고된 주한미군 노조의 노동쟁의 조정을 합동위에 회부하기 위한 별첨 각서에 분과위 쌍방대표가 서명토록하여, 동 쟁의 조정을 합동위에 회부하여 주시기 바랍니다.

3. 아울러 아측 입장 수립을 위해 쟁의 대상인 3가지 미합의점과 관련된 아래 사항들에 대한 귀부 입장을 통보하여 주시기 바랍니다.

0081

가. 노조 요구 사항들의 타당성

나. 노조 요구 사항들에 대한 미측 수용 가능성

/계속....

다. 노조 요구사항에 대한 타협이 가능하다면 그 타협점

라. 상기 타협을 위해 양국 외교 경로에서 협의 할 수 있는 부분 (구체적으로)

마. 합동위 조정 실패시 예상되는 단체행동에 대한 대비책

바. 주한미군 규모 조정 및 아측 노무비 분담등의 여건 변화에 대한 장기적인 대책 및 이에 대한 관계부처 협의 필요성

첨 부 : SOFA 노무 분과위원회 및 합동위원회 각서 각 1부.

0082

공 란

공 란

공 란

공 란

공 란

공 란

면 담 요 록

o 일 시 : 1991. 2. 21(목) 14:00-14:30

o 면담자 : 안보과장 - Christenson 주한 미대사관 1등서기관

o 면담내용

(주한미군 노사문제 소청 심사 특별 위원회)

Christenson 서기관 - 새로운 SOFA 시행 양해사항 후속조치 관련, 현재 노무분과위에서 소청 심사 특별위원회 구성 및 협의 절차에 대해 협의하고 있음. 이와 관련하여 개인이 직접 특별위원회에 소청을 할 수 있는지, 아니면 먼저 외무부에 소청한 후, 외무부에서 특별위에 회부 여부를 결정하는 것인지에 대해 이견이 있는 바, 우리의 입장은 외무부를 일단 거쳐야 한다는 것임.

안 보 과 장 - 노무분과위에서 소청심사 특별위원회 구성을 협의하고 있다는 사실을 알고 있으나, 아직 최종 합의 사항은 없는 것으로 알고 있음. SOFA 시행 양해 사항에 상설 기구로서 소청 심사 위원회의 설치 및 그 절차에 대해 상세하게 규정하고 있는바, 외무부가 소청 회부 여부를 결정한다는 규정은 없는 것으로 알고 있음. 우리의 입장은 노무분과위에서 합의된 구성 및 절차를 준수하여야 하며, 그 절차가 시행 양해사항 규정을 벗어나지 말아야 한다는 두가지 원칙이 지켜진다면 문제가 없을 것으로 생각함.

공람	안보과	91년 2월 21일	담 당	과 장	심의관	국 장
			김[illegible]	[illegible]	[illegible]	[illegible]

0083

주한미군 노조 단체행동 움직임

노동쟁의 70일 냉각기간 시한 넘겨
감원규제·퇴직 보상금 지급등 요구

주한미군 기지에서 근무하는 한국인 노동자들의 감원사태를 둘러싼 노동쟁의가 노조쪽이 주장하는 냉각기간 70일의 마감인 6일을 넘김에 따라 새로운 국면을 맞고 있다.

전국주한미군노동조합(위원장 강인식·50)은 "국내법에도 없는 70일의 냉각기간과 쟁의발생신고 뒤 노동부의 조정기간까지 합쳐 이제까지 1백30여일을 거쳤으므로 이제는 단체행동을 더이상 주저할 수 없다"고 밝히며 경우에 따라서는 전면파업 등도 불사하겠다는 의사를 보였다.

노조는 "주한미군의 단계적 감축에 따라 지난해초부터 본격화된 감원사태로 주한미군 노동자 2만5천여명 가운데 이미 감원됐거나 감원통보를 받은 노동자가 1천5백여명에 이르고 있고 시설공병업무에 종사하는 노무자 등 2천여명이 추가 감원될 처지에 있다"며 사태의 심각성을 지적하고 있다.

노조는 특히 "감원된 노동자들의 평균연령이 50세를 넘어 새 직장을 구하기 어려우므로 감원은 곧 생계를 박탈하는 것"이라며 "그동안 퇴직금도 목돈으로 주지 않아 사정은 더욱 절박하다"고 강조하고 있다. 주한미군 노동자들은 그동안 청산식 지급방식으로 해마다 연말에 그해의 한달치 월급을 퇴직금 명목으로 받아왔다.

이에 대해 노조쪽은 주일미군 철수 때 일본인 노동자들에게 40개월치 임금을 퇴직금조로 주었던 사실을 선례로 들어 같은 정도의 보상을 요구하고 있다.

강인식 위원장은 이와 관련, "노동자들의 임금이 보너스를 합쳐도 평균 68만원에 불과해 빠듯하게 생계를 이어가고 있으며 이제까지 연말에 받은 청산금을 저축하지 못하고 생활비로 써온 게 현실"이라며 "한·미 두 나라는 걸프전 지원과 같은 사안에서만 상호협력을 과시할 것이 아니라 지난 시대 두 나라 관계가 낳은 주한미군 노동자 문제에서도 모두 책임을 나누어져야 할 것"이라고 말했다.

이런 배경에서 노조는 지난해 10월19일 정기 대의원대회를 열고 '무모한 감원 중단과 사후대책 마련' 등 9개항을 제시, 노동쟁의를 결의하고 노동부에 쟁의발생 신고서를 냈다.

이에 노동부는 세차례의 조정회의를 거듭 연 끝에 노조의 9개항 요구를 △한·미 정부당국 조정사안 △노사협의 교섭사안 △한·미합동위원회 상정사안 등 세가지로 분류, 지난해 12월26일 감원 규제·사후대책 보상금 지급 등 노동자들의 가장 절박한 이해가 달린 사안을 한·미합동위에 상신했다.

한·미행정협정(SOFA)에는 "노사간 쟁의가 발생하면 먼저 이의 조정을 위해 노동부에 회부하고, 여기서 해결되지 않으면 합동위원회에 회부, 합동위는 특별위원회를 구성해 조정을 시도한다"고 규정돼 있다.

그러나 노동부가 합동위에 상신한 사안들은 아직도 특별위원회에 상정되지 못해 공식 협의되지 못한 것으로 알려졌다.

노조쪽은 이렇게 자신들의 요구가 제대로 협의조차 되지 못하고 있는 것은 사안들에 대한 협의를 미뤄 시간을 벌려는 미군당국과 한국정부의 '농간'으로 보고 노동부 상신일인 지난해 12월26일을 '사실상 회부일'로 규정, 이로부터 70일 뒤인 6일이 냉각기간 해제의 시한이라고 주장하고 있다.

그러나 한·미행정협정에는 "합동위에 안건이 '회부'된 뒤 적어도 70일 동안 쟁의행위가 금지된다"고 규정돼 있고 '회부'란 보통 회의 상정 절차를 포함하는 뜻으로 해석되므로 냉각기한 산정을 둘러싼 논란은 앞으로 계속될 전망이다.

한편 "냉각기간이 만료되더라도 한·미합동위가 직권으로 쟁의를 해결할 수 있다"는 한·미행정협정 규정이 있어 노동자들의 단체행동은 더욱 어렵게 돼 있다.

그러나 미군당국이 사후대책 보상금 지급 등 실제적 지원을 바라는 노조에 대해 "본국 정부 차원에서만 결정할 수 있는 문제"라며 '원칙적' 입장만을 일관되게 제시, 노동자들의 '불만 섞인 분노'가 증폭되고 있다.

이미 주한미군 노조는 지난 86년 5월29일 임금인상·감원계획철회 등을 요구하며 22시간 총파업을 벌인 바 있어 노조의 극한투쟁 가능성도 배제할 수 없는 상황이다.

〈이강혁 기자〉

0090

한겨레 3/7

10882 기 안 용 지

분류기호 문서번호	미안 01225-	(전화 : 720-2324)	시 행 상 특별취급	
보존기간	영구.준영구. 10. 5. 3. 1.	장 관		
수 신 처 보존기간				
시행일자	1991. 3 . 13.			

보조기관			협조기관		문서통제
	국 장	전 결			1991. 3. 13 통 제 관
	심의관				
	과 장				
기안책임자		김 인 철			발 송 인

		발신명의	
경 유			1991. 3. 13 외무부
수 신	노동부 장관		
참 조	노정국장		

제 목 주한 미군 노조 노동쟁의 SOFA 합동위원회 회부

1. 미안 01225-7127(91.2.18) 관련입니다.

2. 90.10 쟁의 발생신고된 주한 미군 노조 노동쟁의가 91.3.12 별첨과 같이 합동위에 회부되었음을 통보합니다.

3. 합동위는 별첨 회부 각서에 따라 동 회부사항 협의를 위한 특별위원회로 SOFA 노무 분과위원회를 지정하고 60일 이내에 합의 및 미 합의 사항을 합동위에 보고하도록 하였는바, 필요한 조치를 하여주시기 바랍니다.

0091

첨 부 : 주한 미군 노조 노동쟁의 합동위 회부를 위한 각서 사본1부.

공 란

공　　란

공　　　란

공　　란

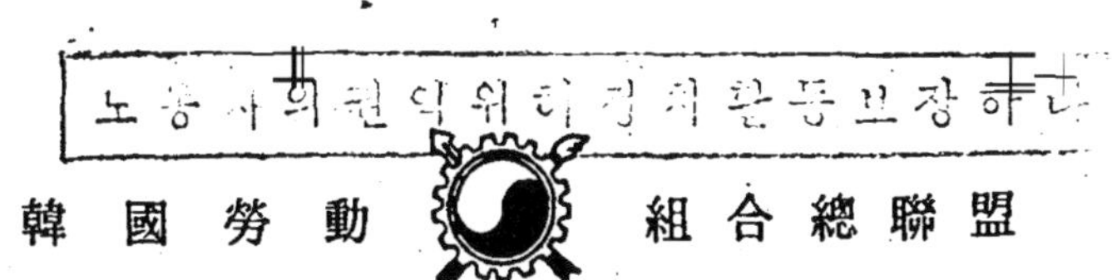

서울特別市 永登浦區 汝矣島洞 35番地

WWbskc FEDERATION OF KOREAN TRADE UNIONS

電話 (782) 3884~7

DATE 1991. 3. 14.

노총정연 제 153 호

수 신 수신처 참조

제 목 한.미행정협정 노무조항의 개정 요구

1991년 2월 26일 - 27일 양일간에 걸친 당연맹 '91년도 전국대의원대회에서 첨부와 같은 의안을 채택하고 이의 해결을 위한 적극적인 노력을 경주키로 결의한바, 당연맹의 요구사항을 제출하오니 정책에 반영되도록 하여 주시기 바랍니다.

첨 부 : 한.미행정협정 노무조항 개정 요구서 1부. 끝.

한 국 노 동 조 합 총 연 맹

7435 위 원 장 박 종 근

수신처 : 민자당 대표최고위원, 평민당총재, 청와대, 국회노동위원회 위원장, 노동부장관, 외무부장관

노총 단합하는 건강 제품 사지 맙시다

0096

WWbskc

요 구 내 용

1. 한.미행정협정(SOFA) 노무조항의 개정

1) 제 17조 1항

주한미군은 고용원 정의에서 "한국국적을 가진 민간인으로 하며"로 되어 있으나 제8조(출입국)은 미군구성원(여권 및 사증) 군속 및 그들 가족에 관한 한국의 법령으로부터 면제된다고 규정하고 있는 바, 미군 혹은 군속 가족이 대한민국 국적을 가진 민간인 일자리에 취업하는 것은 출입국 관리법 목적외 사항이므로 우리의 실업자보호차원에서 규제조항이 삽입되어야 함.

- 한.미행협 노무조항의 목적사항은 원칙적으로 한국의 노동관계법령을 따르게 되어있으므로 "규제"사항을 명백히 해야함.

2) 제 17조 3항

"본조의 제규정과 미군의 군사상 필요에 배치되지 않는한" 미군은 그들의 고용원을 위하여 설정한 고용의 조건 보상 및 노사관계에 있어서 대한민국의 노동관계 법령을 준수하기로 되어있다.

- "배치되지 아니하는 한도"의 해석상 난문제로 대한민국법 적용이 애매하므로 그 정의를 "전쟁 및 절박한 국가비상시"로 명문화 해야함.

3) 제 17조 4항

동조항에 쟁의냉각기간이 70일로 되어있으나 10일로 개정되어야 함.

- 대한민국법을 준수한다는 원칙에 따라 반드시 개정되어야 함.

0097

2. 주한미군의 예산감축 및 기지이전으로 인한 감원대책 수립

주한미군의 예산감축 및 기지이전이 구체화되면서 기구축소 등으로 한인근로자들의 집단적 대량감원이 예상되므로 KNOP(이직교육)교육등의 구제방안 마련이 절실히 요망됨.

노동부

3. 주한미군산하 경비용역 하청업체의 덤핑입찰 금지

1) 주한미군산하 경비용역 하청과정에서 발생하는 덤핑입찰의 문제점을 지적하며, 미8군계약처의 공정원칙에 입각한 입찰정책으로 수정할 것을 요청함.

- 외기노련산하 경비노동조합협의회는 미8군계약처와 경비용역업체들의 비인도적인 입찰정책으로 인권유린 및 국내 악덕업자들의 덤핑입찰로 근로자들은 최저임금을 턱걸이하는 저임금으로 생활고에 시달리고 있음.

사회부

0098

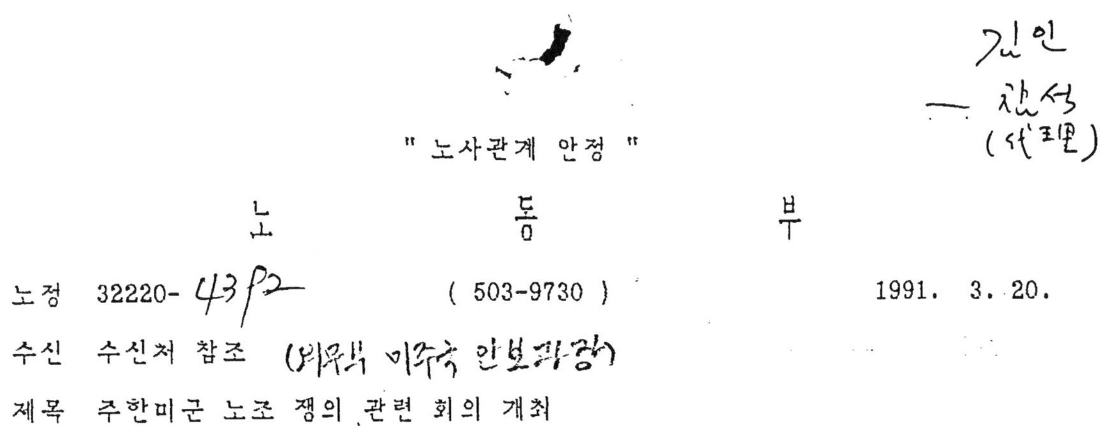

" 노사관계 안정 "

노 동 부

노정 32220- 4382 (503-9730) 1991. 3. 20.

수신 수신처 참조 (외무부 미주국 안보과장)

제목 주한미군 노조 쟁의 관련 회의 개최

1. 주한미군 노조는 지난 '90.10.20. 노동부에 쟁의발생 신고를 한바 있으며, 노동부는 한미행정협정(SOFA) 제17조 제4항 규정에 따라 '90.12.6. 및 12.10. 두차례에 걸쳐 조정회의를 개최하여 노조측 9개 사항중 6개 사항은 조정에 성공하였으나, 3개 사항은 조정에 실패하여 이를 '90.12.12. 외무부에 합동위원회 의제로 상정토록 요청 하였습니다. 그 이후 주한미군노조 쟁의건은 '91. 3.12. 정식으로 합동위원회에 회부 되었으며 (노조의 파업을 위한 냉각기간은 합동위원회 회부후 70일간임), 합동위원회는 동건을 재차 노무분과위원회에서 60일간의 시한을 두고 문제해결을 위하여 노력할 것을 요청하였습니다.

2. 합동위원회 요청에 따라 '91.3.27. 노무분과위원회 위원장(우리측 : 노동부노정국장, 미군측 : 민간인인사처장) 회담을 갖고 '91.4.중순경 노무분과위원회를 개최키로 잠정 합의하고, 그 이전에 양측에서 각각 자체 회의를 개최하여 주한미군 노조쟁의 사안을 검토키로 하였습니다. 따라서 다음과 같이 우리측 노무분과위원회 위원들만의 회의를 개최하고자 하오니 참석하여 주시기 바랍니다.

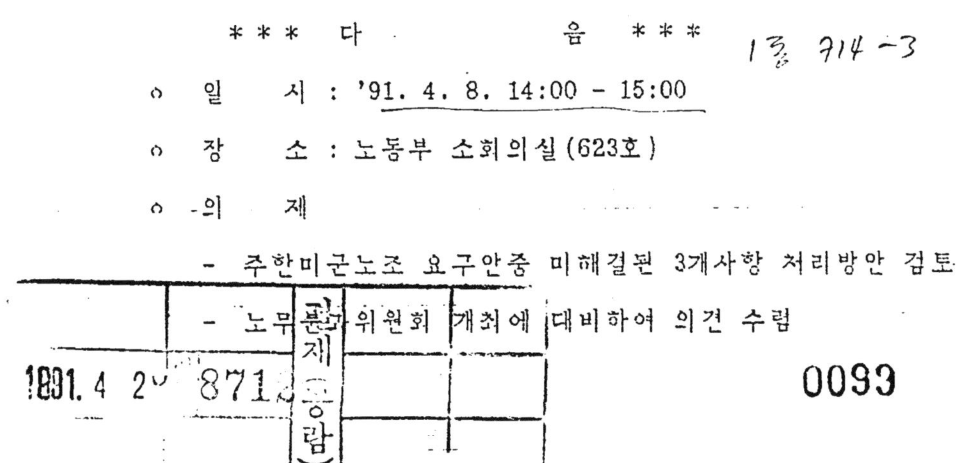

*** 다 음 ***

ㅇ 일 시 : '91. 4. 8. 14:00 - 15:00

ㅇ 장 소 : 노동부 소회의실(623호)

ㅇ 의 제

- 주한미군노조 요구안중 미해결된 3개사항 처리방안 검토
- 노무분과위원회 개최에 대비하여 의견 수렴

1991. 4 2 8713 공람

0093

노정 32220- (503-9730) 1991. 3. 20.

ㅇ 준 비 물 : 없음. 끝.

노 동 부 장

노 정 국 장 전 결

" 산업평화 정착 "

수신처 : 우리측 노무분과위원회 위원(노동부 법무담당관.근로기준과장.고용대책과장.훈련기획과장, 내무부 치안본부정보3과장, 법무부법무실 법무과장, 상공부 통상진흥국 통상정책과장, 외무부 미주국 안보과장)

0100

1. 그간의 경위

- o 90.10.20 주한미군 노조에서 쟁의발생 신고
- o 90.10.20-30 노동부에서 노.사양측 의견 청취
- o 90.11.5 노동부에서 조정안을 서면으로 제시
- o 90.12.6 노동부 주관 제 1차 조정회의
  12.10 제 2차 조정회의
- o 90.12.12 외무부에 합동위원회 의제 상정 요청
- o 91.3.12 합동위원회 의제로 상정
- o 91.3.13 합동위원회는 동건을 노무분과위원회에
  회부 (활동기간 : 60일, 1991.5.11까지)
- o 91.3.27 노무분과위원회 위원장 회담
  - 91.4 중순경 노무분과위원회 개최 잠정 합의

2. 노동부 조정안 : 별지 참조

3. 노동부 조정 결과 : 별지 참조

4. 검토사항

가. 미조정된 3개 사항에 대한 처리방안 검토

나. 노무분과위원회 (합동회의) 참가 대표단 및 일정 논의

0101

노 동 부

국제 32220-5128 (500-5625) 91. 4. 12.

수신 수신처 참조

제목 노무분과위원회 회의 개최

1. 관련 : 국제 32220-4392 ('91.3.29)

2. 주한미군노조 쟁의조정을 위한 노무분과위원회가 다음과 같이 개최되오니 참석하여 주시기 바랍니다.

- 다 음 -

o 일 시 : 1991. 4. 18. 16:00

o 장 소 : 미 8군 SOFA 회의실

o 참석대상 : 한미양측 노무분과위원회 위원 전원

o 참고사항 : 미 8군 출입 편의상 성명 및 차량번호를 파악하고자 하니 조속 통보하여 주시기 바랍니다. (연락처 : 국제협력과 500-5625/5633)

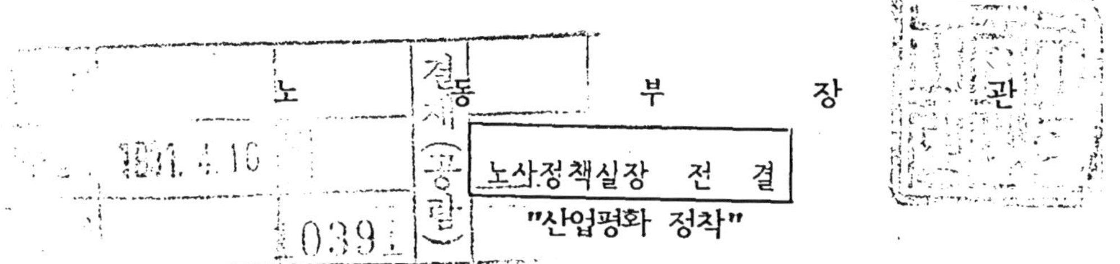

수신처 노동부 (법무담당관, 근로기준과장, 고용대책과장, 훈련기획과장), 법무부 (법무과장), 상공부 (통상정책과장), 외무부(안보과), 치안본부(정보3과장).

0102

" 노사관계 안정 "

노 동 부

국제 32220-6171 (504-7338) 1991. 5. 17.

수신 외무부장관

참조 미주국장

제목 주한미군 노동쟁의 조정 결과 보고

'91.3.12자로 합동위원회에서 노무분과위원회에 회부한 주한미군 노조 노동쟁의에 대한 조정 결과를 별첨과 같이 보고합니다.

첨부 주한미군 노동쟁의 조정 결과 보고. 끝.

노 동 부 장

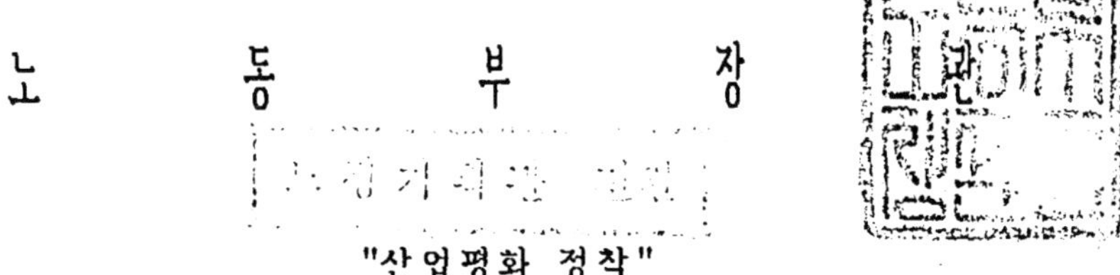

"산업평화 정착"

0103

공　　　란

공 란

공 란

공 란

공 란

공 란

공 란

공 란

공 란

"노사관계 안정"

노 동 부

국제 32220-7722 <504-7338> 91. 5. 30.

수신 외무부장관

참조 미주국장

제목 주한미군 노동쟁의 관련 의견 통보

1. 01225-24061 <91.5.24> 관련임.

2. '91.3.12 주한미군 노동쟁의가 합동위원회에 제출되어 노무분과위원회에서 조정을 시도하였으나 사후대책 보상금 문제에 관하여는 합의점을 찾지 못하였는 바, 이 문제를 해결하기 위해서는 의사 결정권이 있는 한.미 양측의 고위급 회담을 개최하여 논의함이 필요하다고 사료됩니다. 끝.

노 동 부 장 관

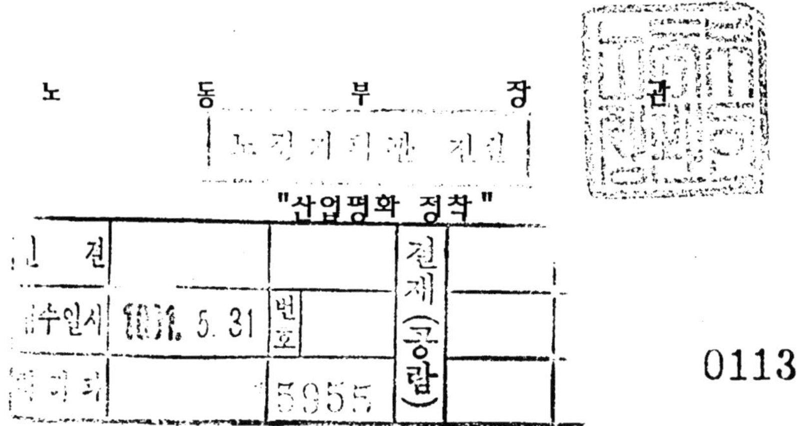

"산업평화 정착"

0113

전국외국기관노동조합연맹

전외노련 제91-68호 757-2355 1991. 6. 5.

수 신 노총위원장

제 목 전국주한미군노동조합 쟁의관련 문제점에 대한 협조 요청

1. 노동자의 권리향상에 진력하시는 위원장님께 감사를 드립니다.

2. 본연맹의 회원조직인 전국주한미군노동조합에서는 지난해 10월 19일을 기하여 그동안의 노사간 쟁점 9개 사항에 타결을 보지 못함으로 인하여 쟁의발생신고를 한 사실이 있으나, 중요 쟁점에 있어서는 아직까지도 전혀 진전이 없는 바, 아래내용을 참조하시어 외무부 및 주한미군당국에 이러한 문제점에 대한 개선건의를 협조요청하오니 선처하여 주시기 바랍니다.

\- 아 래 -

주지하다시피 주한미군노동조합은 지난 반세기동안 외교, 국방, 경제등 사회전반에 걸쳐 국익에 이바지해온 특수노동단체로써 소속 근로자들은 그동안 그에 상응한 대가를 받지 못했음은 물론이려니와 지금의 주한미군 철수계획에 따른 일련의 상황전개로 생존권마저 크게 위협받고 있는 실정입니다.

그렇기 때문에 주한미군노조에서는 이러한 불합리한 상황을 조금이나마 타개해 보고자 9개항에 걸친 고질적인 노사간의 쟁점에 대한 개선을 요구하게 된 것이며, 그중 6개항은 정부의 중재노력으로 합의를 보게 되었습니다.

그러나 우리 근로자들에게 가장 절실한 사안인 감원문제 및 감원으로 인한 사후대책, 그리고 불합리한 휴가 및 병가제도로 말미암은 미사용

0114

병가의 현금보상문제등은 한.미합동위원회에 상정키로합의 (90.12.12)를 본 뒤 아직까지도 전혀 진전이 없는 상태입니다.

주한미군노조는 사용주가 주한미군이라는 특수성으로 인해 노조의 요구. 주장에 한계성이 있어 정부의 적극적인 협조가 이루어져야한다고 사료되며, 노사문제 발생시는 그것이 더욱 절실히 요구된다 하겠습니다.

현재 주한미군에 근무하는 근로자들은 장기근속으로 인한 고령화 및 이직교육의 부재, 임금제도의 불합리, 그리고 퇴직금 청산방법의 문제점(매년 청산식)으로 감원으로 인한 퇴직시 생계가 막연한 실정입니다. 그렇기 때문에 감원 및 이에 따른 확실한 사후대책이 제시되지 않을때는 강력한 투쟁을 전개하여 우리의 권익을 찾을 수 밖에 없는 상황입니다.

이에 본 연맹은 주한미군에 대한 정부의 간접지원 금액중 인건비를 대폭증액하여 이러한 문제들을 해결할 수 있도록 하여 주실것을 요청드리오며 다음과같은 우리의 요구가 관철되지 않을 시 전 조직역량을 동원하여 극한 투쟁도 불사할 수 밖에 없어 이러한 불행한 사태가 야기되기 전에 원만한 타결이 이루어질 수 있도록 적극 협조하여 주시기를 간청드립니다.

다 음

1. 주한미군당국의 대책없는 감원 철회 문제
2. 주한미군 당국의 불합리한 퇴직금지급제도 개정 및 이에 따른 손해액 보상문제
3. 송유관 이관 계획에 따른 근로자 대책 문제
4. 임금제도의 단체협약 삽입에 관한 문제
5. 불합리한 휴가. 병가제도의 개정 및 축적된 병가시간의 현금보상 문제

끝.

위원장 김 규

0115

韓 國 勞 動 組 合 總 聯 盟

서울特別市 永登浦區 汝矣島洞 35番地

FEDERATION OF KOREAN TRADE UNIONS

電 話 (782) 3884~7

사본

대조

DATE. 1991. 6. 13.

노총노사 제 353 호

수 신 주한미국대사

제 목 단체협약 합의사항 이행촉구 협조 요청

1. 한.미 외교정책에 심혈을 기울이시는 대사님의 노고에 경의를 표합니다.

2. 다름이 아니오라 90년도 노사간에 상호 성실히 준수키로 체결한 단체협약중 노동자들에게 가장 절실한 사안인 감원문제 및 감원으로 인한 사후대책, 그리고 불합리한 휴가 및 병가제도로 말미암은 미사용 병가의 현금보상 문제 등 한.미 합동위원회에 상정키로 합의한 사항을 이행치않고 있어 노사간에 갈등이 우려되는바 조속한 시일내에 이행을 촉구하며,

3. 합의사항 불이행으로 발생하는 모든 불행한 사태에 대한 책임은 주한미군 당국에 있음을 주지하시어 적극 협조 있으시기 바랍니다. 끝.

발송 No. 1991. 6. 13 한국노동조합총연맹

한 국 노 동 조 합 총 연 맹

위원장직무대리 최 상 용

0116

韓國勞動 組合總聯盟

서울特別市 永登浦區 汝矣島洞 35番地

FEDERATION OF KOREAN TRADE UNIONS

電話 (782) 3884~7

DATE 1991. 6. 13.

노총노사 제 353 호

수 신 주한미군 사령관

제 목 단체협약 합의사항 이행촉구 협조 요청

1. 세계평화와 대한민국 방위를 위해 고생하시는 사령관님께 진심으로 경의를 표합니다.

2. 다름이 아니오라 90년도 노사간에 상호 성실히 준수키로 체결한 단체협약중 노동자들에게 가장 절실한 사안인 감원문제 및 감원으로 인한 사후대책, 그리고 불합리한 휴가 및 병가제도로 말미암은 미사용병가의 현금보상문제등 한.미 합동위원회에 상정키로 합의한 사항을 이행치않고 있어 노.사간에 갈등이 우려되는 바 조속한 시일내에 이행을 촉구하며,

3. 합의사항 불이행으로 발생하는 모든 불행한 사태에 대한 책임은 주한미군 당국에 있음을 엄중히 경고하오니 적극 협조 있으시기 바랍니다. 끝.

비서소 1991. 6. 13 한국노동조합 총연맹

한국노동조합총연맹

위원장직무대리 최 상 용

0117

기안

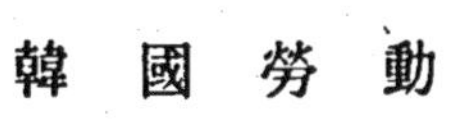

韓 國 勞 動 組 合 總 聯 盟

서울特別市 永登浦區 汝矣島洞 35番地

FEDERATION OF KOREAN TRADE UNIONS

電 話 (782) 3884~7

DATE. 1991. 6. 13.

노총노사 제 354 호

수 신 외무부장관

제 목 주한미군노동조합 쟁의관련 협조 요청

1. 국가의 외교정책 수행에 심혈을 기울이고 계신 귀하의 노고에 깊은 경의를 표합니다.

2. 주한미군노동조합과 주한미8군과의 단체협약중 쟁점사항에 대하여 분쟁이 야기되어 당연맹에 지원을 요청한바 이에대하여 당연맹은 주한미대사와 주한미8군사령관에게 별첨과 같이 불합리한 근로조건에 대하여 조속히 개선하여 줄것을 촉구하였습니다.

3. 이와같이 외국기관과의 노사관계의 마찰은 우방국간의 외교적인 문제로 비화될뿐만 아니라 양국간의 우호에도 악영향을 끼칠 우려가 있으므로 이를 감안하시어 귀부가 적극적으로 개입하시어 타결될 수 있도록 영향력을 행사하여 주시기 바랍니다.

첨 부 : 1. 전국외국기관노동조합연맹 건의 공문 사본 1부.
2. 주한미대사 협조요청 공문 사본 1부.
3. 미8군사령관에 대한 촉구 공문 사본 1부. 끝.

한 국 노 동 조 합 총 연 맹

위원장직무대리 최 상

18149

0118

" 노사관계 안정 "

노 동 부

국제 32220-8977 (504-7338) 1991. 6. 24.

수신 주한미군 노조위원장

제목 노동쟁의 관련 중간 회시

1. 전주 노 제 91-47호 ('91.5.28) 관련임.

2. 귀 노조에서 신청한 쟁의건에 대하여 노무분과위원회 (한국측 1회, 한.미 합동 2회) 및 한.미합동위원회 등 다각적인 조정노력을 하고 있으나 일부 요구사항에 대하여는 아직까지 완결되지 못하고 있음을 양지하시기 바라며

3. 아울러 현재에도 정부에서는 한.미합동위원회를 통하여 지속적인 해결 노력을 하고 있는바, 원만한 타결을 위하여 귀 노조의 자재와 적극적인 협조를 바랍니다. 끝.

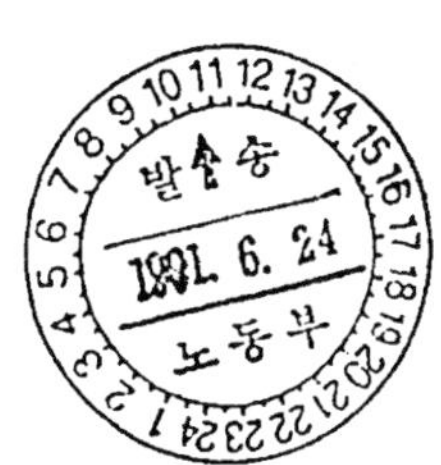

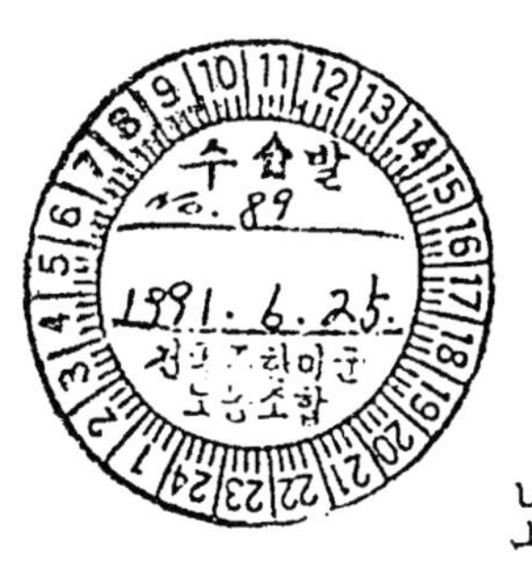

노 동 부 장

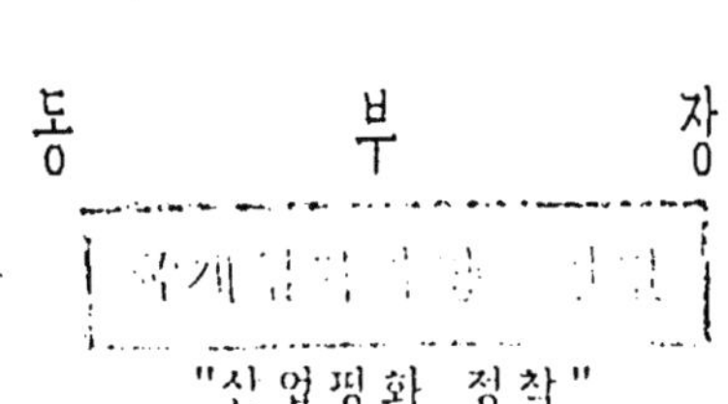

"산업평화 정착"

0119

결 의 문

조합은 1990년 10월19일 전국대의원 대회에서 결의된 쟁의문제에 대하여 그동안 주한미군 당국의 심의를 예의 주시하며 기대와 인내로 자중해 왔으나 오늘에 이르기까지 아무런 결론이 없이 우리 전체근로자들은 깊은 실망과 분노를 금할길 없다.

주한미군 당국의 답변에 의하면 한.미합동위원회에서 동문제를 좀더 검토하여 결정토록 하겠다고 하고 있으나 우리는 장기간동안 충분한 기회를 주었음에도 이를 성실한 조정에 임하지 않았다고 볼수 밖에 없으며 매우 유감으로 생각하는 바이다.

또한 금번 임금인상 문제 역시 이미 요청한 바와같이 사전에 검토 할수 있도록 선의에 요구를 해온바 있으나 이를 무시하고 현재까지 공식적인 제시가 하나도 없어 조합 쟁의대책특별위원회는 쟁의 및 임금문제에 대해 즉각적인 해결방안을 촉구하는 동시에 다음과같이 우리의 각오를 강력히 결의한다.

다 음

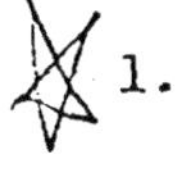

1. 주한미군당국은 조합의 정당한 요구인 퇴직시 사후대책문제, 병가문제, 감원문제에 대해 즉각적인 대책방안을 제시 할것.
1. 임금인상대안을 빠른시일(늦어도 6월26일 이전까지)내에 조합의 요구사항을 전폭적으로 인정 시행 할것.
1. 이와같은 우리의 정당한 요구를 거부시 우리 전체 조직은 단체행동으로 대처할 것임을 분명히 밝힌다.

1991. 6. 24.

전국주한미군노동조합

쟁의대책 특별위원회 일 동

0120

투 쟁 결 의 문

주한미군당국은 근로자의 권익을 부당한 방법으로 갈취하여 퇴직금제도 변경, 휴가병가제도, 임금실태조사제도 및 감원문제를 일방적으로 시행하여 왔다.

그로인하여 생존권의 위협을 받고있는 우리는 더이상 묵과할수 없는 위기에 봉착하게 되었으며 주한미군당국의 작태에 대한 불만과 제반손실에 대한 거국적 투쟁에 돌입하게 되었다.

이모든 제도적 손실을 보상할때까지 조직적행위에 대한 책임은 주한미군당국에 있음을 강력히 경고하는 바이며 다음과같이 결의한다.

다 음

1. 주한미군당국은 대책없는 감원을 즉각 중단하라!

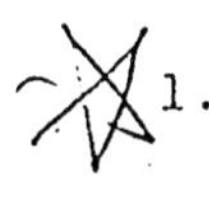

1. 주한미군당국은 불법적인 퇴직금제도를 개정하고 퇴직금제도 변경에 따른 손해액을 보상하라!

1. 주한미군당국은 송유관 이관계획을 즉각 중단하라!
1. 주한미군당국은 임금조사제도를 철회하고 노.사교섭으로 대치하라!
1. 주한미군당국은 휴가제도를 개정하고 축적된 병가시간을 현금으로 보상하라!
1. 주한미군당국은 임금확인 검토를위해 6월24일 이전에 임금대안을 제시하라!

1991. 5. 24.

전국주한미군노동조합
중앙위원 일동

0121

◇고용안정 및 생존권보장 투쟁을 위한 특 별 결 의 문

우리는 6·25남침이후 40여년간이라는 오랜세월동안 온갖 시련을 헤치가며 주한미군 작전업무를 지원 국토방위에 일익을 담당해 왔으며 경제발전과 민간외교사절이라는 사명감을 가지고 충실히 근무해 왔다.

우리는 장기근속 평균 22년으로서 대부분 40대 후반이며 이중50%가 50세 이상이 되고있어 감축에 따른 감원시 사회재취업이 불가능한 실정이며 특히 매년 정산식인 비합법적인 퇴직금 제도로 말미암아 실직시 생활대책이 전무한 매우 심각한 상태임에도 한·미양국은 철군계획에 따른 근로자들에 대한 사후대책이 전무한 상태이다.

또한 한국정부는 주한미군 용산기지 이전, 미군주둔비 비용부담 그리고 페르시아만 분쟁에 거액을 지원하면서 근로자에 대해 일언반구도없이 철군의 일방적 합의는 40년이상 국가방위와 외화획득의 역군으로 청춘을 받치온 우리는 배신감과 분노를 금치못하는 바이다.

우리는 한·미 정부당국이 주한미군 철수계획을 수립함에 있어 어떠한 불이익도 받아드릴수 있으며 실질적이고 책임있는 사후대책 수립과 생존권 보장을 위한 용단에 보상을 촉구하며 다음과 같이 강력히 건의하는 동시에 이와같은 정당한 우리의 요구가 관철될때까지 어떠한 투쟁도 불사할것을 만천하에 천명하는 바이다.

다 음

1. 한·미정부당국은 주한미군 철수계획에 따른 주한미군 한국인 근로자들에 고용안정 및 생존권 보장과 실질적인 책임있는 사후대책을 수

-10-

0122

비및 보상하라/

1. 주한미군 당군은 철군계획에 따른 한국인 근로자의 실직에 대한 사후 대책이 전무한 상태에서 단편적으로 시키십만한 이견이 조성되지 않는 한 이떠한 감원도 받아드릴수 있다.

1. 주한미군 당국의 철군계획에 따라 예산 감축이란 명분으로 통신, 공병, 수송, 조칭청부, 유류취급 등 근로자에 대한 대책없는 감원을 절대 반대한다.

1. 한·미정부당국은 부당한 한·미행협(노무조항)을 한국노동법에 보호를 받을수 있도록 조합의 개정안에 의거 즉시 개정하라/

1. 주한미군당국은 조합이 요청한 단체협약 개정안을 즉각 수락하라/

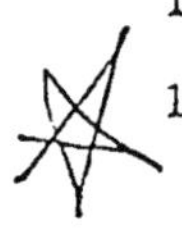

1. 주한미군당국은 매1년 형식으로 정산하는 비위법적인 퇴직금제도를 실시해옴으로 그동안 누적되어온 약40개월분에 해당하는 평균임금을 생존권 보장을 위한 사후대책비로 보상하라/

1. 주한미군당국이 신규채용 동결령을 발표하고 한국인 근로자 자리에 미군의 가족을 취업시키고 있는바 이는 예산절감이 아닌 다른모종의 계획으로서 이와같은 부당취업을 즉각 철회하라/

1. 주한미군당국은 인사규정을 일방적으로 개정하여 장기근로자및 정식직종에 근로자를 아무런 예우나 대책없이 감원을 유도하려는 동규정을 철회하고 감원시 임시직·파타임을 우선조치 하라/

1. 주한미군당국은 한국노동법에 따라 휴가제도를 즉각 시정 퇴직시 누적된 휴가를 현금으로 지급하고 그동안 누적되어온 병가를 전액 현금으로 지급하라/

1. 주한미군당국은 감원자 및 일반직근로자의 장기근속자에 대한 이민우선권을 부여하라/

0123

1. 주한미군당국은 일관성 없는 정년연장제도를 철회하고 지위사유 내지 않는 한 정년 일괄적이 또한 정년연장 중 해임하라!

1. 주한미군당국은 비조합원들이 고용주와 조합간에 이간 및 비방하는 일이 많으므로 이러한 비조합 등이 차등인사조치는 물론 비조합원에 대한 우선 감원과 아울러 의료·복지연금등 기타 노사간에 결정된 사항에 대해 일체 제외하라!

1990. 10. 19

전국주한미군노동조합
정기전국대의원대회

-21-

0124

조근

전 국 주 한 미 군 노 동 조 합

주미노 제91-64호 793-1862 1991. 8. 19.

수 신 외무부 장관

제 목 쟁의에 대한 중재 촉구서

전국주한미군 노동조합은 근로자들의 생존권위협과 사후대책문제가 심각한 위기속에 많은 어려움을 받고있는 관계로 인하여 1990년 10월 19일 전국대의원대회에서 쟁의발생 신고를 하여 오늘에 이르는 동안 직접 또는 노동부에 중재가 있었으며 원만한 타협이 이루어지지않아 지난 3월 12일에 한.미합동위원회로 상정되었으나 아직까지 결론을 통보받지 못한가운데 전체 근로자들로부터 항의와 단체행동의 압력을 받고있어 매우 심각한 상태에 봉착하고 있습니다.

조합은 국내법 적용을 받지 못하는 관계로 국제법(한.미행정협정)에 따라 정당한 절차를 준수하여 왔으나 한.미양국의 성의있는 조정이 되고있지 않음을 매우 유감스럽게 생각하며 현재 주한미군에 종사하는 많은 근로자들이 주한미군 철군계획과 예산삭감으로 기지폐쇄 및 감축으로인한 감원이 속출되고 있는바 더이상 묵과하고 침묵만 지킬수없는 조직적분규를 피할수없는 어려움에 직면하고 있습니다.

이와같은 어려움과 문제해결를 위해 적극적인 협조가 있으시길 청원하오며 좋은결과와 답신을 기대하옵니다. 끝.

위원장 강 인 식

27594 0125

1967년	2월	25일	제정	1977년	12월	2일	개정
1968년	6월	21일	개정	1978년	11월	28일	개정
1969년	6월	6일	개정	1980년	2월	29일	개정
1971년	5월	20일	개정	1981년	4월	30일	개정
1973년	1월	4일	개정	1982년	6월	2일	개정
1974년	5월	13일	개정	1983년	12월	1일	개정
1975년	8월	29일	개정	1987년	5월	12일	개정

단 체 협 약

전국주한미군노동조합
주한미군 사 령 부

전국주한미군노동조합

—1—

0126

목　　　차

조항　　　제 목

제 1조　목적 및 정책
제 2조　정의
제 3조　규제법규
제 4조　협의 및 협상대상사안
제 5조　조합의 인정
제 6조　협약의 발효일자 및 유효기간
제 7조　협약의 개정
제 8조　사용자의 권리
제 9조　조합의 권리
제 10조　종업원의 권리
제 11조　조합원 및 조합임원의 요건
제 12조　조합임원의 신분
제 13조　공무시간의 사용
제 14조　공무시간 사용의 제한
제 15조　공용시설의 이용
제 16조　조합비 원천공제
제 17조　노사불만처리 절차
제 18조　회의 및 노사활동

제 1조 목적 및 정책

ㄱ. 본 협약은 주한미군 (이하 "사용주"라 칭한다) 과 전국주한미군 노동조합 (이하 "조합") 이라 칭한다) 사이에 체결되었다.

본 협약의 당사자 쌍방은 주한미군의 효율적인 임무수행 및 노사간의 의사소통과 근로조건의 향상 및 생산력 증진이 쌍방간의 공동관심사임을 확인한다. 이 공동관심사는 한미행정협정중 노무조항과 기타 효력을 가지는 제반규칙에 준하여 확립 유지되는 노사간의 협조를 통하여 촉진시킨다.

ㄴ. 본 협약과 이후 수시로 체결될 개정 및 보완 협약을 합하여 사용자와 조합간의 단체협약으로 한다. 사용자와 조합은 쌍방이 본 협약을 준수하기 위하여 필요한 조치를 취한다. 어느 일방이 본 협약을 위배 했을때는 당사자 쌍방은 본 협약 제 17조에 따라 즉각적인 조치를 취하여 건설적인 노사관계를 지속한다.

제 2조 정 의

ㄱ. 본 협약에서는 별도로 규정하지 않는한 아래와 같은 정의를 적용한다.

(1) 사용자라함은 주한미군과 그예하 육, 해, 공군의 모든부서 (교역처 및 기타 비세출자금 기관을 포함한다) 와 주한미군 및 그 예속각군의 지휘영역에 속하거나 관계되는 기관을 말한다. 이에 포함되는 기관으로서는 한미 행정협정 제 17조 1항에 열거된 기관과 자연인 (초청 청부업체포함) 으로 한다.

(2)종업원이라함은 위 조항에 열거한 주한미군 및 그 예하기관에 종사하는 한국인 종업원을 말한다.

(3)조합이라함은 상기 사용자의 종업원을 대표하는 한국인종업원의 단체 (전국 주한미군노동조합) 를 말한다.

ㄴ. 단체협약 해석과 적용 과정에서 또 노사관계의 효율적인 의사소통을 하는데 혼동을 방지하기 위하여 다음의 용어와 해당되는 정의를 적용한다.

(1) 통고 : 서면으로 알리다. 지식을 전달하다. 정보를 제공하다. 단 서면통보가 허용되지 않은 긴급사항인 경우는 예외로 한다.

(2)협의 : 같이 숙의하다. 타방의 충고를 구하다. 타방의 의견을 듣다. 의논하다. 고려하다. 문제해결에 있어 회의를 통하여 의견을 교환하다. (주 : 쌍방이 합의하거나 타방의 동의를 얻거나 하는것을 필요로 하지는

— 3 —

0128

않는다)

(3)협상 : 타방과 회합하여 모종의 합의 또는 양보 사항에 도달하기 위하여 협의한다. 회합 또는 토의를 통하여 협약에 도달하다.(주 : 통상적으로 협정에는 공동합의나 타방의 동의가 따른다)

제 3조 규제사항

본 협약에 포함된 모든 사항을 적용함에 있어 사용자와 조합은 다음법규의 규제를 받는다. 즉 현행 한미행협 또는 앞으로 체결될 한미 행협의 보완협약, 합의각서, 개정협정, 또는 공식회의록, 그리고 상부기관(즉 국방성과 육, 해, 공군성 및 태평양 지구 사령부)에서 제정한현행 법령과 규정, 그리고 본 협약체결당시 효력을 가지고 있는 주한미군의 정책과 규정, 그리고 이후 한미현행법이나 상부기관에 의하여 발행되는 규정등의 규제를 받는다. 본 협약의 조항이 한미 행협이나 상부기관의 법령과 규정에 상충되는 경우에는 한미 행협이나 상부기관의 법령과 규정이 우선한다.

제 4조 협의 및 협정대상 사안

ㄱ. 당사자 쌍방은 제 8조에 정한 사용자의 권리 및 사용자의 권한 밖의 사항은 제외하고, 사용자의 권한 범위내에 속하는 인사방침, 인사절차, 관행 및 근로조건을 협의 및 교섭의 대상사항으로 하는 것에 합의한다. 제 8조에 정한 사용자의 권리 및 사용자 권한 밖의 사항에 대하여는 사용자는 협의 또는 교섭의 의무는 없으되 노동조합은 본협약9조에 정한 노동조합의 협의권의 행사권을 갖는다.

사용자는 종업원이나 그들의 고용조건에 영향을 미칠것이 예상되는 계획 변동에 대하여는 보안조치에 위배되지 않는한 사전에 그와같은 통고가 현실적이고 가능하면 6개월전에 조합에 통고한다.

ㄴ. 조합의 요구사항이 정당하나 사용자의 권한밖에 속하는 정책의 변경이 필요한 경우 사용자는 지체없이 상부기과에 상신하여 그에 대한 결정을 구하도록 노력한다.

제 5조 조합의 인정

사용자는 조합이 다음각항의 요건을 갖출것을 전제로 전국주한미군 노동조합을 사용자의 종업원을 대표하는 유일한 대표로 인정한다.

ㄱ. 조합규약, 부측 및 강령을 사용자에게 제출한다.

ㄴ. 조합임원과 간부명단을 사용자에게 제출한다. 조합 간부명단

에는 성명, 노동조합직명 및 임기 및 소속직장 및 공식 직책명과 직급을 명기한다.

ㄷ. 조합은 사용자의 종업원 과반수 이상을 조합비를 지불한 조합원으로 확보한다.

ㄹ. 대한민국 노동법령중 노동조합의 설립신고 및 노동조합 활동의 법적요건을 갖춘다.

ㅁ. 전국 주한미군 노동조합 산하의 지부와 분회는 본조의 공식 통보로서 자동적으로 인정을 받는다. 지부인 경우에는 해당지부 관할내의 전체 종업원의 과반수 이상을 조합비를 납부하는 조합원으로 확보해야 한다. 지부나 분회의 설립은 해당 종업원의 이해관계에 명확한 공통성을 가지고 있고 또 업무수행이나 노사관계를 효율적으로 증진시킬수 있는 범위를 단위로 하여야 한다. 조합은 동일 영내에 동일 부대내에 하나이상의 소속 분회가 있을시 본협약 발표이후 삼년내에 하나의 분회로 통합하도록 노력한다.

ㅂ. 조합은 차별대우나 조합원, 비조합원의 구별없이 본 협약에 포함되는 모든 종업원의 이익을 대표한다.

제 6조 협약의 발효일자 및 유효기간

ㄱ. 본 협약의 발효일자는 당사자 쌍방이 본 협약에 서명한 날자로 한다. 본 협약의 유효기간은 발효한 날로부터 3년으로 한다.

ㄴ. 본 협약 발표일자 이전에 교환된 각서나 협약으로서 본협약에 포함된 사항에 관련되는 것은 본 협약의 발효와 동시에 폐지한다. 단, 1986년 6월 12일 주한외군과 전국 주한미군 한국인 종업원 노동조합 사이에 교환된 양해각서는 그 각서가 폐기, 효력상실, 또는 합의내용이 완전 이행되기 전에는 유효한다.

ㄷ. 신규협약을 위한 개정사항의 요구는 현행 협약의 효력만료전 적어도 30일전에 상대방에게 제출해야 한다.

ㄹ. 이 효력 만기일 이전까지 신규협약이 체결되지 않았을경우에는 본 협약이 새협약이 체결될때까지 유효한다.

제 7조 협약의 개정

당사자 쌍방은 법 또는 규정의 개정으로 인하여 필요한 경우는 본 협약의 유효기간 만료이전에라도 본 협약을 공동으로 개정 또는 보완할수 있다. 법 또는 규정의 변경으로 인하지 않는 개정내지 보완은 당사자중

—5—

0130

어느 한편이 본 협약의 발효일자로 부터 90일이 경과된후, 그리고 개정이 있은지 90일이 경과 된 이후 상대방에게 서면으로 본 협약의 개정을 재의할 수 있다. 여기서 개정이라함은 본 협약에 새 조항을 추가혹은 삭제 하는것을 뜻한다. 따라서 본 협약을 개정한다 함은 이미 합의된 본 협약의 전부 또는 대부분을 개정할 것을 목적으로 하여서는 안된다는 것을 쌍방은 이해한다. 본 협약의 개정 또는 보완을 하고자 할때는 개정 또는 보완하고저 하는 내용과 그 이유를 서면으로 상대방에게 제출해야 한다. 본 협약의 개정 또는 보완할 것을 어느 일방이 상대에게 제의 했을때는 그러한 개정이나 보완을 위한 협의는 적당한 시일이내에 개최되어야 하며 여하한 경우도 상대방의 서면요구를 접수한날로부터 30일을 경과할 수 없다.

제 8조 사용자의 권리

사용자는 해당법령 예규에 따라 다음과 같은 권리를 가진다.

ㄱ. 사용자의 임무, 기능, 예산, 기구편제, 종업원수, 대내적 보안조치를 결정하고 ; 사용자의 관할부서에 종사하는 종업원수, 종류, 등급, 업무계획 또는 근무시간의 변경권을 갖으며 ; 작업수행에 적용하는 기술 및 절차, 그리고 업무수행 방법의 결정 및 변경권.

ㄴ. 종업원을 채용, 배치, 전보, 승진, 감독, 포상, 교육, 유임하거나 해직 또는 정직, 해고, 강등, 기타 징계조치를 취하여 작업배당, 그리고 업무 수행 인원을 결정할 권리.

ㄷ. 비상 사태하 즉 전쟁, 적의도발 또는 전쟁이나 적의도발이 임박했다고 인정될때 또는 천재나 기타 비상사태일때 고용주의 임무를수행하는데 필요한 비상조치를 취할수 있는 권리.

제 9조 조합의 권리

ㄱ. 조합은 본 협약의 제 3조 규제사항과 제 4조 협의 및 협상대상 사안의 범위내에서 종업원에게 영향을 미치는 인사정책과 그 절차, 그리고 근로조건에 관하여 노사협의 또는 협상을 요구 할 수 있는 권리를 가지며 그러한 사항에 관하여 구두 또는 서면으로 조합의 견해를 제출할 권리를 가진다. 노사협의 또는 협상 사항으로는 다음과 같은 사항을 포함한다. 즉 근로조건과 노사관계, 종업원 후생, 징계절차, 불만진정 및 소청처리절차, 휴가승인, 승급, 강등절차, 감원절차 및 작업시간, 기타 이와 유사한 사항. 조합은 급여 혜택을 결정하는 조사를 실시하는데 관해 협의를 요청할 수 있다.

ㄴ. 조합은 불만진정 및 소청에 관하여 고용주와 종업원 사이에 개최되는 공식토의, 청취, 또는 회의에 출석을 요구하여 참석 할 수 있는 권리를 가진다. 단, 당해 종업원이 조합임원의 불참을 특별히 요구한 경우는 예외로 한다. 이러한 토의나 청취과정에서 조합은 종업원에게 유리한 자료를 제시할 수 있다. 사용자 또한 불만진정이나 소청처리과정에서 조합에 자료의 제시를 요구 할 수 있다. 조합이 자료를 제출하거나 종업원을 대리하는 일은 조합임원 임명에 한 한다.

ㄷ. 요청이 있을때 사용자는 법칙의 추세나 징계조치에 관하여 조합에 유용한 통계자료를 제공한다. 조합은 그러한 법칙을 감소시키거나 배제하는데 돕도록 그 자료를 이용한다.

제 10조 종업원의 권리

ㄱ. 종업원은 징계나 보복에 구애됨이 없이 합법적인 종업원단체를 조직하거나 이에 자유로이 가입하거나 가입하지 아니할 권리를 가진다.

ㄴ. 종업원의 불만진정 및 소청문제에 관하여 관리자와 협의를 하거나 또는 자기자신의 불만진정 및 소청을 규정절차에 따라 제기함에 있어서 조합임원 또는 조합임원이 아닌자를 그 대리인으로 선정할 권리를 가진다. 사용자는 종업원이 불만을 진정했다거나 심문에 출두하여 증언했다거나 불만진정 및 소청대리인으로 조합임원을 선정했다는 이유로 징계하거나 차별대우할 수 없다.

제 11조 조합원 및 조합임원의 요건

ㄱ. 주한미군의 효율적인 임무수행을 위하여 사용자는 본 협약의 적용을 받는 모든 종업원이 합법적인 노동조합에 가입하거나 가입하지 않을 권리를 가지며 또한 이러한 권리를 징계와 보복에 구애없이 자유로이 행사 할 수 있음을 인정한다.

ㄴ. 아래ㄷ항에 규정된바를 제외하고 합법적인 조합에 가입하거나 이에 협조한다 함은 조합운영에 참가하고 조합대표로 활동하는 모든 행위를 포함한다.

ㄷ. 다음에 열거한 종업원은 조합에 가입할 수는 있으나 조합의 대표로서 활동하거나 조합의 운영에 참여 할 수 없다.

(1) 관리자 : 감독직 또는 비감독직 종업원으로서 다음과 같은 업무를 수행하거나 그러한 업무에 관한 건의를 할 권한을 가진 종업원 즉 ㉠ 기구편재 작성 및 재편 ㉡ 정책과 규정의 입안을 포함하는 사업계획의 작성, 평가 및 사업계획의 수정 업무에 종사하는자 ㉢ 기획조정 ㉣ 전반적

—7—

0132

인 작업방법과 순서의 결정 ⓜ 전반적 목표와 수준결정 ⓗ 예산회계, 구매 청부계약, 불하업무 ⓢ 재무관리 ⓞ 필요한 작업장, 인력 및 장비의 결정 ⓙ 수사, 정보 그리고 검열계획 및 시정조치의 지시하는 업무에 종사하는자.

(2) 감독자 : 단위대 또는 부서의 이익을 위하여 타 종업원을 채용, 전보, 정직, 휴직, 복직, 승진, 해고, 배치, 포상, 또는 징계 할수 있는 권한을 가지거나 타 종업원을 지휘하고 불만진정의 처리, 혹은 위와같은 조치에 관한 효과적인 건의를 할 수 있는 권한을 가진 종업원으로서 그러한 업무를 수행함에 단순 사무적 기능이 아니고 독자 적인 판단력을 요하는 업무에 종사하는 종업원.

※ (주석 : 전 협약에 의거하여 현재 노조임원직에 있는 감독자는 임원의 임기가 끊기지 않고 재선되는한 계속 조합 임원직에 있을수 있다.)

(3) 순수한 서기업무가 아닌 인사담당 인사처 전문직원

ㄹ. 위항에 명시되지 않은 경우에 노조임원이 될수 있는지의 여부는 사용자에 의하여 부과된 직무와 직책을 기준으로 하여 최종결정 한다.

ㅁ. 조합임원, 요원 또는 평조합원으로서 임무를 수행함에 있어 행위가 종업원으로서의 공식 직무와 실질적으로 또는 표면상으로 이해상 반되거나, 상호 병존할 수 없거나 그 직무 수행에 배타되는 행위를 하여서는 안된다. 그러한 이해상반이 발생했을때 고용주는 조합과 당해 종업원에게 이를 통보하여야 하고 당해 종업원이 그의 행위를 시정하게끔 30일간의 기간을 주어야 한다.

ㅂ. 조합임원이 전항의 규정에 의하여 조합임원이 될수 없는 직위로 자발적으로 승진 또는 전보 되었을 경우 가능한한 빨리 조합임원으로부터 사퇴하여야 하며 30일을 초과 할수 없다. 미자발시 가능한한 빨리 사퇴하되 6개월을 초과하여서는 안된다.

제 12조 조합임원의 신분

ㄱ. 조합이 고용주로 부터 유일한 인준을 받은 이상 본 협약과 조합규약에 의하여 선출되거나 임명된 조합임원은 고용주에 의하여 조합의 대표로서 인정된다. 그러나, 이와같은 인정은 노조위원장이 주한미군 인사처에 정식 통고를 필해야되며 조합위원장인 경우는 조합대의원 대회 의장의 정식통고를 필해야 한다.

ㄴ. 조합임원은 조합임원으로서의 활동이 본 협약과 한미행협의 노무조항 그리고 대한민국 노동법령에 저촉되지 않는한 불이익한 차별대우를 받지 아니하며 종업원이 허용된 조합활동을 할때도 또한 같다.

ㄷ. 조합은 감독자나 종업원의 공무 집행을 고의적으로 방해하는 여하한 행동도 취할 수 없다.

ㄹ. 고용주는 조합의 규약과 본 협약에 의해 선출된 조합임원에게 영향을 주는 불리한 인사조치를 취하기전 조합에 먼저 통보해야한다.

제 13조 공무시간의 사용

ㄱ. 인준을 받은 조합임원은 노사회의 참석, 노사공동사업참여, 공식적인 불만진정 또는 소청청취참여, 조합중앙위원이 월 1회에 한한 중앙위원회에 참석, 사용자나 종업원의 이익에 이바지 되는 활동 참석, 한국정부 기관이나 대한 노총을 방문 또는 회의참석하거나 또는 조합임원에 대한 한국정부가 필요로 하는 교육에 참석하는 (즉 새마을 교육, 반공 교육, 국가안보 교육) 시간은 연가나 임금의 손실없이 공무시간을 사용할수 있다.

ㄴ. 전항에 명시한 연가나 임금의 손실 없이 사용할수 있는 근무시간은 아래 기준에 의한다.

(1) 본조의 위원장— 80%까지

(2) 본조상임 부위원장 및 사무국장— 75%까지

(3) 본조 부위원장, 지부장, 본조 총무부장— 60%까지

(4) 분회장, 부지부장, 본조합부장, 지부총무부장— 25%까지

(5) 지부의 각부장은 필요에 따라 월 8시간을 초과하지 않은범위 내에서 공무시간의 사용이 허용될수 있다.

(6) 전국 외국기관 노동조합연맹 위원장— 80%까지

ㄷ. 노사관계의 활동이 격증한 경우 직속 감독자는 위시간 제한을 초과한 공무시간의 사용을 개별적으로 허용할 수 있으며 현 작업량과 업무 지원등에 지장이 없어야 한다.

ㄹ. 한 조합원이 두개 이상의 조합직책을 겸직한 경우 공무시간 사용이 많이 허용되는 어느 한쪽의 기준에 의한다.

ㅁ. 조합임원은 작업계획의 재조정을 가능케 하기 위하여 충분한 시간적 여유를 두고 직속감독자나 직속감독자가 부재중일때는 차 상위감독자에 서면 또는 구두로 사용사유와 함께 공무시간의 사용을 신청해야 한다. 그같은 공무시간의 사용이 긴급한 경우에는 전화로 신청할 수 있다. 이와같은 공무시간 사용 신청은 감독자에 의하여 거절되지 아니한다. 단, 긴급을 요하는 잠정적인 작업량의 증가로 당해 종업원이 없어서는 안

될 이유가 분명한 경우에는 예외로 한다. 공무시간 사용이 허용될수 없는 경우에 감독자는 당해 종업원에게 허용될 수 있는 다음 시기를 통지 하여야 한다.

ㅂ. 노사관계업무가 끝나면 조합임원은 즉시 정상업무로 복귀해야하며 노사관계 업무에 소요된 총 공무시간을 감독자에게 보고해야 한다. 공무시간 사용 보고는 표준양식 71호 "휴가신청서"를 제출해야 하며 노사관계 업무에 소요된 공무시간은 "행정휴가"로 표시되어야 하며 종업원 출근부에 표준양식 71호가 증빙서류로 첨가 되어야 한다.

ㅅ. 전임 조합임원이 되기 위한 무급 휴가는 조합본부의 신청에 의하여 허용 될 수 있다. 전임 조합간부의 무급휴가기간은 감원 또는 호봉승진에 있어서 정상근무 시간으로 간주한다.

ㅇ. 조합은 조합직책을 표시한 조합임원 명단을 고용주에게 제출해야 한다. 일단 완전한 명단이 제출된 후에는 변경된 분 만을 변경된 날자로부터 14일 이내에 제출한다.

제 14조 공무시간 사용의 제한

ㄱ. 조합의 전국 또는 지부 대의원대회, 회합, 노조임원선거 또는 이와 유사한 행위를 계획하거나 수행하는 행위등 전적으로 또는 주로 대내적인 조합업무는 근무시간 외에 그리고 영외에서 행하여야 한다.

ㄴ. 조합 간행물의 배포, 조합가입 권유등은 근무시간외에행하여야 하나 점심시간과 같은 정상근무 시간외에 영내에서 행할 수 있으되 조합회의나 집회를 수반할 수는 없다.

제 15조 공용시설의 이용

조합의 게시물은 해당사령관이나 그의 대리인의 승인을 얻은후에 지정된 장소에 게시할 수 있다.

제 16조 조합비 원천공제

ㄱ. 고용주는 다음 조항에 따라 조합비를 원천공제 할것에 합의한다.

ㄴ. 조합비의 원천공제를 원하는 종업원은 수시로 조합비 원천공제 인가서를 작성 서명하여 제출할 수 있다. 원천공제는 원천공제 인가서를 해당 급여과에 접수된 날자 이후의 첫봉급 기간부터 행해진다.

ㄷ. 작성된 조합비 원천공제 인가서는 지정된 조합임원의 확인을

거쳐 고용주의 해당지역 인사처에 제출되어야 하며 이를 접수한 인사처는 접수한 날로 부터 3작업일 이내에 해당급여과로 발송하여야 한다.

ㄹ. 조합비 원천공제 인가서를 제출한 종업원에 대하여는 매4주의 봉급 기간마다 종업원 급수의 10호봉 1,3076 시간당 기본급여액을 공제한다. 단 일정한 봉급기간에 지급될 총 급여액중 법정 기타소정공제액을 제한후의 잔액이 조합비 공제액에 미달되는 그 봉급기간에 한하여 조합비를 공제하지 아니한다. 한달 또는 반달을 기준으로 봉급기간이설정되 있는 종업원 (초청 청부업체종업원, 크렙, 홀병부서 종업원등) 의 13번째 조합비는 연말 상여금에서 공제한다. 봉급주기가 4주이내인 경우 즉 매주 또는 2주를 주기로 봉급을 지불하는 경우 매4주째에 조합비 공제는 연 13회에 한한다.

ㅁ. 고용주는 공제한 조합비를 매 봉급기간 만료40작업일 이내에 조합으로 송달해야 한다.

ㅂ. 고용주는 조합비 원천공제를 신청한 종업원의 명단, 근무부서, 개인별 조합비 공제액, 송달된 조합비 총액을 기입한 원천명세서 2통을 조합에 제출하고 이후 매봉급 기간마다 추가분과 삭제분을 조합에 제출하며 매6개월마다 전체 명단 현황을 조합에 제출한다.

ㅅ. 종업원은 공제취소를 소정양식 (JK Form 76) 또는 기타 서면으로 할수 있다. 취소 신청서는 3부를 작성 인사처에 본인이 직접 제출하여야 한다. 인사처는 동 취소 신청서중 1부는 3작업일 이내에조합에 송달해야 한다. 동 취소 신청서중 첫2부는 인사처가 접수한지 2주일후에 해당 급여과로 보내야 한다.

ㅇ. 고용주는 종업원으로부터의 조합비 원천공제 취소신청을 급여과에 접수시킨 다음3월 1일 또는 9월 1일 어느것이든지 먼저 오는 첫번째 완전 급여기간부터 원천공제를 중지한다.

ㅈ. 종업원이 해직되었을 때에도 조합비 원천공제는 자동적으로 중지된다.

ㅊ. 조합은 조합비 원천공제를 인가한 조합원중에 조합원으로서의 결격사유, 조합으로부터의 탈퇴, 정권, 또는 제명된 조합원의 명단을 작성하여 그러한 사유가 발생한 날로부터 10일이내에 고용주에게 제출하여 조합비 공제의 중지를 기하도록 한다. 이러한 경우의 조합비원천공제중지는 통보가 있은후 첫번째 완전급여기간부터 한다.

ㅋ. 조합은 조합비 원천공제 인가서를 조합원이 사용할 수 있

—11—

0136

도록 비치할것과 제출된 인가서는 고용주에게 발송하기전에 완전히 작성되었는가를 확인 하고 이를 인증할 책임을 가진다.

ㅌ. 조합은 또한 종업원이나 조합원에게 조합비 원천공제 제도와 공제의 자율성 그리고 소정 양식의 구입과 기입 방법에 관하여 주지시킬 책임이 조합에 있음을 인정한다.

ㅍ. 조합비의 변경으로 인한 원천공제 액수의 변경은 년 1회를 초과하지 못한다.

ㅎ. 조합은 가장 조속한 시일내에 조합을 대표하여 조합비공제 신청서를 인증할 권한을 가진 조합임원의 성명과 서명을 고용주에게 제출하여야 한다. 조합이 지명한 상기 임원이 변경 되었을 때 즉시 고용주에게 통보할 책임이 있다.

ㄲ. 위 절차는 초청 청부업체, 비세출 자금기관과, 그리고 교역처에도 적용된다. 이러한 기관의 행정적 특수성을 감안하여 위절차의 시행이전에 별도로 부대 사항을 설정할 수 있다.

제 17조 불만처리 절차

ㄱ. 본 항의 불만처리 절차는 본 협약을 해석하고 이를 적용하는 과정에서 발생하는 노사간의 불만만을 처리하는데 한한다. 불만처리는 아래 방법으로 처리한다.

(1) 불만은 우선적으로 발생한 지역내의 분회나 지부와 해당지구 인사처나 현지부서 수준에서 고려되어야 한다.

(2) 지역내의 고용주와 조합간의 협의를 통하여 불만이 해소되지 않을 경우에는 고용주와 조합 계통상의 차 상위 기관에 그 처리를 지체없이 의뢰해야 하며 본 협약에 의거하지 아니한 다른 행동을 취할 수 없다. 이러한 계통을 통하여 본 조합과 주한 육, 해, 공군 사령부와 교역처 본부에 까지 불만처리가 의뢰된다.

(3) 상기(2)항에 의하여 해결되지 못한 불만의 처리는 본조 또는 주한미군의 각군 사령부에 의하여 주한미군 사령부에 그 처리를 의뢰할수 있다.

ㄴ. 종업원 개인의 불만 진정이나 소청처리는 본항의 적용 범위에서 분명히 제외된다.

ㄷ. 조합은 불만처리 절차를 밟고 있는 중에 고용주의 정상적인 업무수행을 방해하는 여하한 행동도 허가 하거나 해서는 않된다. 만약 조합이 금지된 노동 행위를 묵과 하거나 이에 가담하는 경우 고

용주는 행협 제 17조에 규정된 조치를 취한다.

ㄹ. 만약 쌍방중 어느 일방이 본 협약의 조항을 타방이 지키지 않음을 알게되면 상대방에게 정확하게 어떻게 협약을 위반하였으며 바라는 구체적인 고정조치를 서면으로 상대방에게 알려 주어야 한다. 상대방이 확인한 협약 위반에 대한 즉각적인 고정조치를 취하지 않음은 행협 제 17조에 포함된 쟁의 조정 절차에 따라 불만을 제기할 수 있는 근거가 된다.

제 18조 회의 및 노사활동

ㄱ. 고용주와 조합은 해당법령 예규와 본 협약 제 4조에 저촉하지 않은 범위에서 적시에 회의를 개최할 것과 성실성을 가지고 인사정책과 절차 기타 근로조건에 미치는 제반사항을 토의 할것에 합의한다.

ㄴ. 고용주 (크럽계통, 교역처, 초청청부업체포함) 와 인정된 조합은 주기적인 회의를 개최하여 회의록과 합의사항을 기록 보존한다. 정기회의 이외에도 어느 일방이 충분한 시간적 여유를 두고 사전에 통보 요청 함으로서 특별 회의를 가질 수 있다. 현지 수준의 회의는 노조지부장과 관할 인사처장 또는 인사처장 부재시는 임명된 대리인간에 행한다. 전국 수준의 회의는 전국노조 위원장과 주한미군 인사처장간에 행한다.

ㄷ. 정기 또는 특별회의에서 토의될 안건은 쌍방이 준비할 수 있는 충분한 시간적 여유를 두고 사전에 교환되어야 하며 회의에서의 토의 안건은 사전에 교환된 안건에 한함을 원칙으로 한다.

ㄹ. 노사회의에는 최소한의 대표자가 참석하도록 하고 쌍방의대표는 각 3인 또는 그 이하로 제한함을 원칙으로 하고 그중 각 1명을 대변인으로 지명한다.

ㅁ. 조합 임원은 고용주의 승인하에 조합원에 관계되는 각종의식, 행사, 회의 등 고용주가 주관하는 활동에 참여 할것을 요구할 수 있다.

주한미군을 대표하여	주한미군 노동조합을 대표하여
JAMES K. MACGREGOR	강 인 식
인사국장	위 원 장

1987. 5. 12
서 명 일 자

—13—

0138

공 란

공 란

공 란

공 란

공　　　란

공 란

공 란

공　　란

공 란

공 란

組合 組織體系 및 機構表

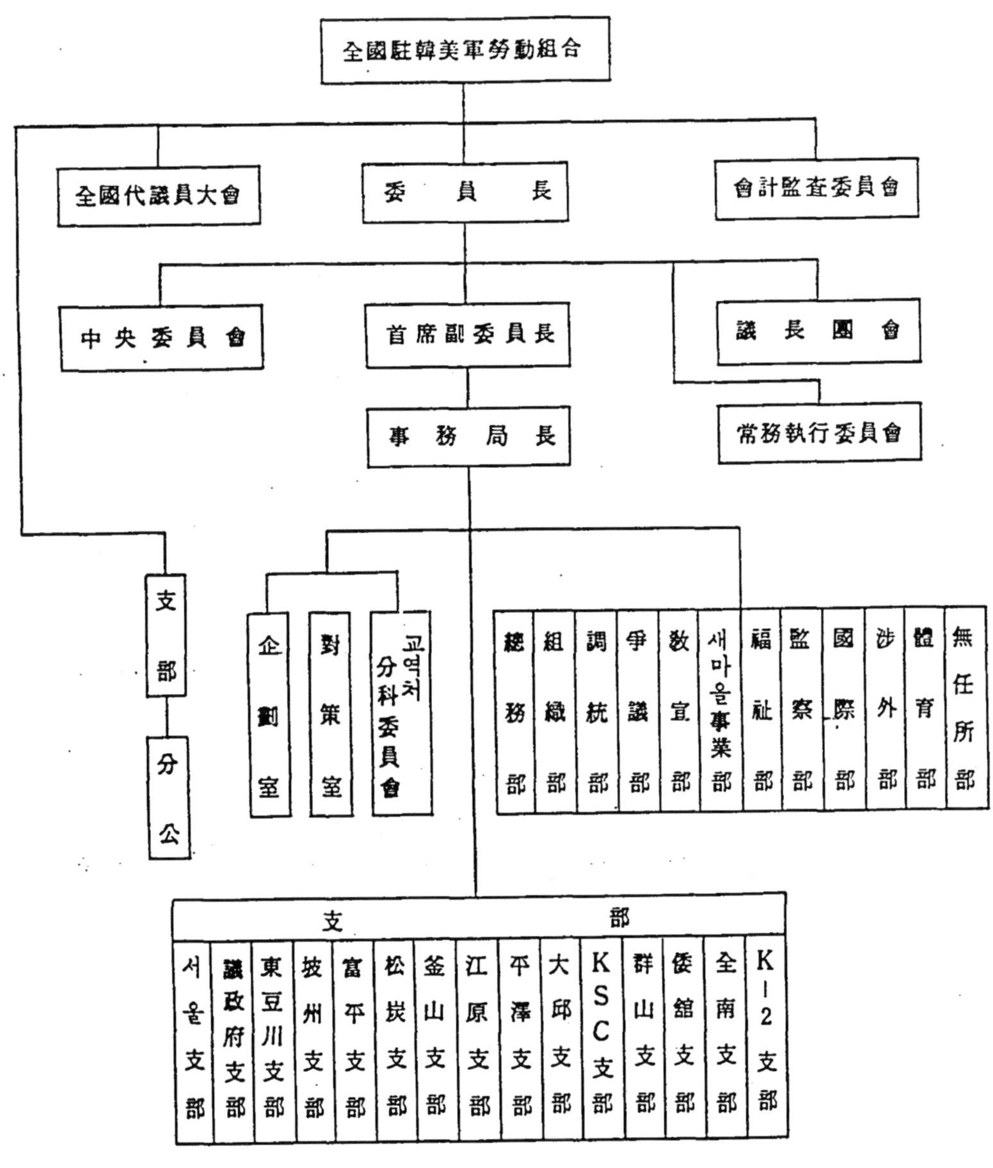

0149

공 란

공 란

4. 地域別 組合員 現況

구분 / 시도별	지부수	분회수	조합원수		
			남	여	계
서 울 시	1	31	2,859	745	3,604
부 산 시	1	13	769	120	889
인 천 시	1	13	616	38	654
대 구 시	2	31	1,243	249	1,492
광 주 시	1	8	225	22	247
경 기 도	6	100	8,287	858	9,145
강 원	1	6	389	37	426
경 북	1	28	1,194	73	1,267
전 북	1	12	556	103	659
계	15	242	16,138	2,245	18,383

" 노사관계 안정 "

노 동 부

국제 32220- 12211 (504-7338) 1991. 8. 26

수신 전국주한미군노동조합 위원장

제목 쟁의에 대한 중재 촉구 회시

1. 주미노 제 91-64호 ('91.8.19) 와 관련입니다.

2. 위 호와 관련된 쟁의 신고건에 대하여는 현재 한.미합동위원회에서 처리중에 있으니 그리아시기 바랍니다. 끝.

노 동 부 장

"산업평화 정착"

0153

공 란

공 란

공 란

공 란

공　　　란

공 란

全國駐韓美軍勞動組合
委員長 姜 寅 植
USFK KOREAN EMPLOYEES UNION
PRESIDENT KANG, IN-SIK
363-1, HANKANGRO-2KA, YOUNGSAN-KU, SEOUL, KOREA
서울特別市 龍山區 漢江路 2街 ~~363-1~~ 186
~~(부 활 빌 딩 5 층)~~
Tel: 793-1862, 798-3564 (八軍) 7913-7535
140-012

서울특별시 종로구 세종로77

외무부 장관 貴下

100-050

0160

등기 1997

〈1997〉

노 동 부

우 427-010 경기도 과천시 중앙동 1 ／전화 (02)504-7338 ／전송 503-9771～2

문서번호 국제 32220-16802

시행일자 1991. 11. 22.

수 신 주한미군노조위원장

참 조

제 목 민원 회시

1. 합민이 01254-34906 ('91.11.14) 관련임

2. 주한미군 한국인 직원 감원 및 사후대책 보상 문제는 지난 '90.10.19. 9개항의 요구조건을 들어 노동부에 쟁의발생신고를 하여 그간 노동부의 중재로 9개 요구사항 중 6개사항은 노.사간에 합의처리키로 한 사항이며

3. 노동부 중재가 불가능한 3개항 (감원문제, 사후대책 보상, 병가 현금지급)은 현재 합동위원회에 상정 ('91.3.12) 계류중이며 '91.12.11. SOFA 합동위원회 제170차 회의 안건으로 채택하여 조정을 할 예정이니 양지하시기 바랍니다. 끝.

노 동 부 장

0161

전 국 주 한 미 군 노 동 조 합

전주노 제91-106호 793-1862 1991. 12. 3.

수 신 외무부 장관

참 조 미주국장

제 목 쟁의관련 문제점 타결 촉구

전국주한미군에 종사하는 수만명의 한국인직원과 수십만 그가족들은 수십년간 주한미군에 고용되어 충실한 업무수행과 아울러 한.미간에 우호증진에 기여하며 국토방위에 일익을 담당하는 주한미군 작전업무에 청춘을 다 받쳐 헌신해 왔습니다.

그에 댓가로 받은 극히 저조한 임금으로 어려운 시련을 참아가며 장래 지향적인 기대감으로 업무에 최선을 다해 왔습니다.

그러나 '89년도부터 철군문제가 사실화 되면서부터 실망과 좌절로 생존권마져 박탈을 당하여 왔으며 앞으로도 가속화 될것이 현실임을 직감하고 전체 조합원과 조직임원은 그동안 누적되어온 제반 노사문제를 가지고 '90. 10. 19일 전체 조합대의원대회에서 쟁의결의를 하기에 이르렀던 것입니다.

쟁의신고후 주한미군당국의 불성실한 태도로 인해 한.미 합동위원회로 넘겨져 냉각기간 70일이 훨씬 지난 현재까지도 아무런 타결점을 찾지 못하고 있음을 매우 유감스러운 일이라 아니 할 수 없습니다.

0162

공람	담 당	과 장	심의관	국 장	차관보	차 관	장 관

주한미군당국은 많은 근로자들의 반발에도 불구하고 지난 1979년까지 시행하여온 퇴직금 누진제도를 중단하고 매년 지급하는 1년청산식 퇴직금 지급제도를 강행 함으로서 철군 및 예산삭감에 의한 근로자들의 감원문제가 발생하여 생계에 위협마져 피할수없는 현실을 해결하기 위하여 퇴직금 누진제도 철폐에 따른 보상을 요구하였으나 현재까지 노동부중재 및 합동위원회의에서 타결의 기미가 보이지않고 있는 상황에서 사후대책 보상없는 감원을 받아드릴수 없다는것이 우리의 입장입니다.

또한 우리근로자들은 평균연령이 50세가 넘었으며 20년이상의 장기 근속자로서 사회적응이 불가능한 상태입니다.

우리는 이러한 어려운 현실속에서 그동안 인내와 자중으로 현재까지 참아 왔습니다만 전체근로자들과 수십만 가족들의 원성이 날로 더해가고 있어 더이상 묵과할 수 없는 처지임으로 조합 쟁의대책 특별위원회('91.12.3일)에서 전국대의원대회 이전까지 어떠한 결실이 없을시 강력한 투쟁도 불사한다는 결의(별첨)을 하기에 이르렀습니다.

조합은 이러한 어려운 시점에 봉착하고 있아오니 우리의 뜻을 너무나 잘 알고 계시는 한국측 대표위원께서 조속한 시일에 타결이 이루어지도록 최선을 기우려 주시기를 촉구하는 바이오며 이로인해 어떠한 문제가 발생시 귀측에도 책임이 있음을 천명하는 바입니다. 끝.

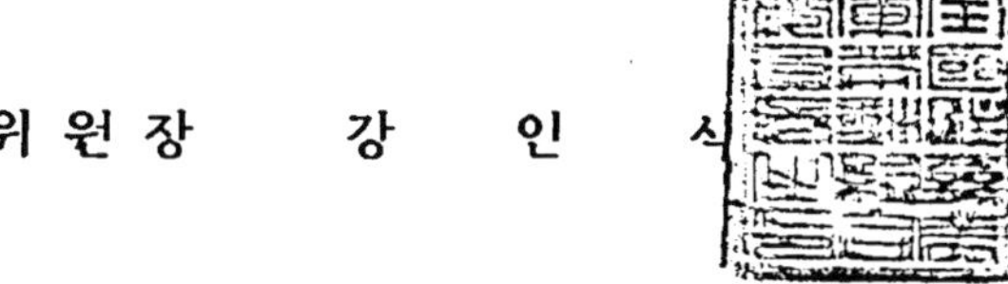

위 원 장 강 인 식

-2-

0163

결 의 문

조합은 전국대의원대회 (1990.10.19일)에서 전체 대의원 만장일치 결의로 쟁의발생 신고후 동문제가 한.미합동위원회에 정식으로 넘겨져 쟁의 냉각기간 70일이 훨씬 넘은 현재까지 우리는 인내와 자중으로 주한미군당국의 성의를 기대해 왔으나 오늘에 이르기까지 아무런 대책없이 이모든 문제를 한국정부에만 떠넘기려는 주한미군당국의 극히 무성의한 태도에 우리 주한미군 한국인 전체 근로자들은 실망과 분노를 금치 못하는 바이다.

우리는 주한미군당국의 불성실한 태도에 더이상 묵과할수 없어 합법적인 투쟁을 결심하기에 이르렀으며 이로인한 어떠한 문제발생시 이모든 책임은 주한미군당국에 있음을 만천하에 천명하는 동시에 다음과같이 우리의 뜻을 강력히 결의한다.

다 음

1. 우리의 정당한 요구가 조합 대의원대회 이전까지 어떠한 결실이 없을시 우리 전체 조직은 단체행동에 돌입 할 것을 천명한다.

1. 조합대의원대회 이후 발생되는 제반문제에 대한 책임은 주한미군 당국에 있음을 분명히 밝힌다.

1991. 12. 3.

전 국 주 한 미 군 노 동 조 합
쟁 의 대 책 특 별 위 원 회

0164

全國外國機關勞動組合聯盟
서울特別市 龍山區 厚岩洞 175—9
FEDERATION OF FOREIGN ORGANIZATIONS EMPLOYEES UNIONS
175-9 HOOAM-DONG. YONGSAN-KU SEOUL, KOREA
TEL: 757—2 3 5 5, 777—6 5 3 0
140-190

서울 종로구 세종로
제1 정부 종합 청사내
외무부
장 관님 貴下
110-760

0165

전국외국기관노동조합연맹

전외노련 제91-114호 757-2355 1991. 12. 6.

수 신 외무부 장관

제 목 전국주한미군노동조합 쟁의관련 문제점 조속타결 협조 요청

폐연맹 산하 주한미군노동조합에 소속된 2만여 근로자들은 주한미군군영에서 군작전업무의 충실한 수행과 아울러 한.미간의 우호증진에 기여하여온 바, 그동안 그에 상응한 처우를 받지 못했음은 물론이려니와 작금의 주한미군 철수계획에 따른 일련의 상황전개로 생존권마저 크게 위협받고 있는 실정입니다.

주한미군노조에서는 이러한 불합리한 상황을 조금이나마 타개해 보고자 지난해 10월 19일 전국대의원대회에서 쟁의를 결의하고 9개항에 걸쳐 고질적인 노사간의 쟁점에 대한 개선을 요구하게 된 것이며, 그중 6개항은 한국정부의 중재로 처리되었으며, 나머지 3개항이 한.미합동위원회에 회부된 바 있습니다.

그러나 우리 근로자들에게 가장 절실한 사안인 감원문제 및 감원으로 인한 사후대책, 그리고 퇴직금 누진제 폐지에 따른 손실보상문제 등 한.미합동위원회 회부 사항은 그후 주한미군당국의 무성의하고 일방적인 태도로 인하여 아직까지도 전혀 진전이 없는 상태입니다.

현재 주한미군에 근무하는 근로자들은 장기근속으로 인한 고령화(평균연령 50세) 및 이직교육의 부재, 임금제도의 불합리성, 그리고 퇴직금 청산방법의 문제점(매년 청산식)때문에 감원으로 퇴직시 생계가 막연한 실정입니다.

이러한 감원 및 이에 따른 확실한 사후대책에 대해서는 한.미

12.12

41453

0166

정부에서도 인정은 하고 있는 것으로 알고 있으나, 그 대안이 제시되지 않고 있어서 극한 투쟁이 우려되고 있습니다.

이에 폐연맹은 한.미합동위원회 한국측 위원들께서 주한미군노조가 쟁의대책특별위원회를 구성(91.12.3), 금년대의원대회(12.20) 이전까지 여하한 타결이 이루어지지 않을 시 강력한 투쟁도 불사한다는 결의(별첨내용)를 한 상황을 감안하시어, 불행한 사태를 미연에 방지할 수 있도록 조속한 타결에 최선을 기울여 주시기를 요청드리오며, 아울러 주한미군당국이 저희들의 요구에 대해 즉각적인 대책을 제시할 수 있도록 협조해 주시기 바랍니다.

별 첨 : 주한미군노조 발송공문 1부. 끝.

위원장 김 규

0167

전국주한미군노동조합

전주노 제91-106호 793-1862 1991. 12. 3.

수 신 외기노련 위원장

참 조 사무국장

제 목 쟁의관련 문제점 [illegible]

전국주한미군에 종사하는 수만명의 한국인직원과 수십만 그가족들은 수십년간 주한미군에 고용되어 충실한 업무수행과 아울러 한.미간에 우호증진에 기여하며 국토방위에 일익을 담당하는 주한미군 각전입부에 청춘을 다 받쳐 헌신해 왔습니다.

그에 댓가로 받은 극히 저조한 임금으로 어려운 시련을 참아가며 장래 지향적인 기대감으로 업무에 최선을 다해 왔습니다.

그러나 '89년도부터 철군문제가 사실화 되면서부터 실망과 좌절로 생존권마져 박탈을 당하여 왔으며 앞으로도 가속화 된것이 현실임을 직감하고 전체 조합원과 조직임원은 그동안 누적되어온 제반 노사문제를 가지고 '90. 10. 19일 전체 조합대의원대회에서 쟁의결의를 하기에 이르렀던 것입니다.

쟁의신고후 주한미군당국의 불성실한 태도로 인해 한.미 합동위원회 노무분과위 냉각기간 70일이 훨씬 지난 현재까지도 아무런 타결점을 찾지 못하고 있음을 매우 유감스러운 일이라 아니 할 수 없습니다.

-1-

0168

주한미군당국은 많은 근로자들의 반발에도 불구하고 지난 1979년 까지 시행하여온 퇴직금 누진제도를 중단하고 매년 지급하는 1년청산식 퇴직금 지급제도를 강행 함으로서 철군 및 예산삭감에 의한 근로자들의 감원문제가 발생하여 생계에 위협까지 미칠수있는 현실을 예견하기 위하여 퇴직금 누진제도 철폐에 따른 보상을 요구하였으나 현재까지 노동부중재 및 합동위원회의에서 타결의 기미가 보이지않고 있는 상황에서 사후대책 보상없는 감원을 받아드릴수 없다는것이 우리의 입장입니다.

또한 우리근로자들은 평균연령이 50세가 넘었으며 20년이상의 장기 근속자로서 사회적응이 불가능한 상태입니다.

우리는 이러한 어려운 현실속에서 그동안 인내와 자중으로 현재까지 참아 왔습니다만 전체근로자들과 수십만 가족들의 원성이 날로 더해가고 있어 더이상 묵과할 수 없는 처지임으로 조합 쟁의대책 특별위원회('91.12.3일)에서 전국대의원대회 이전까지 이러한 결실이 없을시 강력한 투쟁도 불사한다는 결의(별첨)을 하기에 이르렀습니다.

조합은 이러한 어려운 시점에 봉착하고 있아오니 우리의 뜻을 너무나 잘 알고 계시는 한국측 대표위원께서 조속한 시일에 타결이 이루어지도록 최선을 기우려 주시기를 촉구하는 바이오며 이로인해 어떠한 문제가 발생시 귀측에도 책임이 있음을 천명하는 바입니다. 끝.

위원장 강 인 식

결 의 문

조합은 전국대의원대회 (1990.10.19일)에서 전체 대의원 만장일치 결의로 쟁의발생 신고후 동문제가 한.미합동위원회에 정식으로 넘겨져 쟁의 냉각기간 70일이 훨씬 넘은 현재까지 우리는 인내와 자중으로 주한미군당국의 성의를 기대해 왔으나 오늘에 이르기까지 아무런 대책없이 이모든 문제를 한국정부에만 떠넘기려는 주한미군당국의 극히 무성의한 태도에 우리 주한미군 한국인 전체 근로자들은 실망과 분노를 금치 못하는 바이다.

우리는 주한미군당국의 불성실한 태도에 더이상 묵과할수 없어 합법적인 투쟁을 결심하기에 이르렀으며 이로인한 어떠한 문제발생시 이모든 책임은 주한미군당국에 있음을 만천하에 천명하는 동시에 다음과같이 우리의 뜻을 강력히 결의한다.

다 음

1. 우리의 정당한 요구가 조합 대의원대회 이전까지 어떠한 결실이 없을시 우리 전체 조직은 단체행동에 돌입 할 것을 천명한다.
1. 조합대의원대회 이후 발생되는 제반문제에 대한 책임은 주한미군 당국에 있음을 분명히 밝힌다.

1991. 12. 3.

전국주한미군노동조합
쟁의대책특별위원회

0170

91-
712

1992.6.30.에 예고문에 의거 일반문서로 재분류됨

외 무 부

110-760 서울 종로구 세종로 77번지 / (02) 720-2324 / FAX (02) 720-2686

문서번호 미이 01225-3654
시행일자 1991. 12. 14.
(경 유)
수 신 수신처 참조
참 조

취급		장 관
보존		
국 장	전 결	
심의관		
과 장		
담 당	조준혁	협조

제 목 주한미군 한국인 고용원 퇴직금 문제

1. SOFA 합동위원회 미측 대표인 Ronald R. Fogleman 주한미군 부사령관은 동 합동위원회 한국측 대표인 반기문 외무부 미주국장앞 1991. 11. 22자 서한을 통해 주한미군 한국인 고용원 감원 계획에 따라 조기 퇴직하게 될 한국인 고용원에 대한 퇴직금 문제를 한국정부가 사회구제(social relief) 차원에서 해결하여 줄 것을 요청하면서, 그간 주한미군 당국이 검토한 동 고용원들에 대한 하기 지원방안에 대하여 한국정부내 관계부처가 동정적인 고려(sympathetic consideration)를 하여 줄 것을 요청하여 왔읍니다.

- 하 기 -

가. 신규직장 물색시까지 직업 재훈련 실시

나. 신규직장 알선

가. 개인사업 희망 고용원들에 대한 금융지원 또는 사업 허가 취득 지원
(예 : 개인택시 면허 발급)

라. 신규직장 확보시까지 일정기간 경제적 지원 / 계 속 /

0171

2. 한편 1991. 12. 11 개최된 제170차 한.미 합동위원회 회의에서 미측은 상기 서한을 회의록에 수록할 것을 제의하였는바, 우리측은 이에 동의하는 한편 동 서한을 관계부처에 송부, 적극적인 검토를 요청할 계획임을 언급 하였읍니다.

3. 당부는 한반도 안보에 있어서의 주한미군의 역할 및 전반적인 한.미 관계를 고려해 볼때 본 건의 원만한 해결이 중요하다고 판단하는 바, 이에 귀부의 상기 방안에 대한 적극적인 검토를 요청하오니 동 검토결과, 문제점 및 제반의견등을 당부로 조속 통보하여 주시기 바랍니다.

첨 부 : 상기 서한 사본 1부. 끝.

수신처 : 재무부장관, 국방부장관, 교통부장관, 노동부장관

검여
1.. 12. 16
통제관

0172

공 란

공 란

공　　　란

공　　　란

공 란

공 란

공 란

공 란

공 란

공　　　란

공 란

공 란

SEOUL, (USFK) -- Senior command officials here are concerned about Korean employees' expectations regarding increased economic assistance in the event of separation from service with USFK due to budget reductions and force restructuring.

At issue is the Korean Employees' Union (KEU) request for a special severance pay of up to 40 months pay for employees who may be prematurely separated from employment with the American forces because of reduced budgets and mandated reductions in force (RIF).

Major General James R. Taylor, USFK chief of staff, said the command is making sincere efforts to ensure that the impact of budget cuts and force reductions on Korean civilian employees is reduced as much as possible while staying within the budgetary guidelines agreed to by the U.S. and ROK governments.

Taylor emphasized that USFK is currently meeting all requirements concerning employee compensation, working conditions, severance and retirement benefits. He noted that all USFK employees, both American and Korean, have a variety of rights and protections during the RIF process. Among those protections is preferential placement into vacant positions for which they are reasonably qualified.

Taylor said the command has requested the Korean government to take additional measures to soften the blow of being separated. These measures were discussed at the December 11 ROK/U.S. SOFA Joint Committee meeting.

The Korean government has been requested to assist in job retraining, and employment assistance and referral programs. They have also been asked to explore eligibility of separated employees for subsidized loans to help them start their own private businesses.

"Our Korean employees perform work in a variety of professions and have considerable proficiency. The skills and knowledges of these highly qualified employees can be tailored to suit the Korean economy; thus making many of them desirable employees for established firms.

"Becoming self-supporting under any of the programs we have requested of the Korean government may require a substantial period of time. During this time, our former employees may need financial assistance. We have asked the Korean government to provide such financial assistance. This command is sincerely interested in the welfare and futures of all of our employees. Unfortunately, the budgets allocated and the mandated down-sizing of the U.S. military departments leave no posssibility of USFK providing the assistance asked of the Korean government," he said.

Taylor said the command's civilian personnel system managers are studying means to minimize the number of employees who will be affected in each year of the force reduction. Whenever possible, he said, cuts will be made through attrition and voluntary separations.

Harrel Sholar, USFK director of civilian personnel, said the command's hands are tied concerning the special severance pay issue. Making a settlement that goes beyond the currently agreed-upon severance compensation program would require resources that just aren't available.

"We are sympathetic to the employees' concerns and are doing everything we can at this level and within the U.S. system to meet employees' needs," Sholar said.

Employee Fact Sheet

Special severance pay for Korean employees of USFK

The Korean Employees' Union (KEU) has requested a special severance pay of up to 40 months pay for some categories of employees who may be prematurely separated from employment with the American forces because of reduced budgets and mandated reductions in force (RIF).

Major General James R. Taylor, USFK chief of staff, said the command is making sincere efforts to ensure that the impact of budget cuts and force reductions on Korean civilian employees is reduced as much as possible while staying within the budgetary guidelines agreed to by the U.S. and ROK governments.

Key points to consider:

1. The issue is beyond the authority of USFK's leadership to solve locally. Giving special severance would require changing country-to-country agreements between the ROK and U.S.
2. USFK is meeting all requirements of the 1979 retirement and severance pay agreement, which was requested by the KEU.
3. All USFK employees, both American and Korean, have a variety of rights and protections during the RIF process, including preferential placement into vacant positions for which they are reasonably qualified.
4. The Korean government has been requested to assist in job retraining, employment assistance and referral programs and to explore eligibility of separated employees for subsidized loans to help them start their own private businesses.
5. The command's civilian personnel system managers are studying means to minimize the number of employees who will be affected in each year of the force reduction. Whenever possible, cuts will be made through attrition and voluntary separations.

These issues were discussed at the ROK-U.S. Status of Forces Agreement Joint Committee meeting held 11th December. It was noted that USFK has neither the resources nor the requirement to accede to the KEU demands. Comand officials described the demand as one which needs Korean government economic assistance to resolve.

COMMAND INFORMATION RELEASE

FROM USFK PUBLIC AFFAIRS.

by Jim Coles III

USFK Pubic Affairs Office

SEOUL, (USFK) -- Many Korean employees are nervous about their future employment as USFK prepares for the inevitable downsizing of the command as projected U.S. defense budgets decline during the rest of the decade.

The command's leadership is making assertive attempts to soften the effects of any future reductions in force by helping employees prepare now for the coming changes.

"This command is sincerely interested in the welfare and futures of all of our employees. Unfortunately, the budgets allocated and the mandated down-sizing of the U.S. military departments leave no posssibility of USFK providing the assistance we have asked of the Korean government on behalf of our employees," Major General James R. Taylor said recently.

Taylor emphasized that USFK is currently meeting all requirements concerning employee compensation, working conditions, severance and retirement benefits. He noted that the command has requested the Korean government to take additional measures to soften the blow of being separated.

"Our Korean employees perform work in a variety of professions and have considerable proficiency. The skills and knowledges of these highly qualified employees can be tailored to suit the Korean economy; thus making many of them desirable employees for established firms.

"Among the requests we have made to the Korean government is to provide assistance to our surplus employees in continuing their employment. These requests were discussed at the recent ROK-U.S. SOFA Joint Committee meeting.

"Becoming self-supporting under any of the programs we have requested of the Korean government may require a substantial period of time. During this time, our former employees may need financial assistance. We have asked the Korean government to provide such financial assistance," Taylor added.

The key issue being studied is the Korean Employees' Union (KEU) demand for a special severance pay of up to 40 months pay for employees who may be prematurely separated from employment with the American forces because of reduced budgets and mandated reductions in force (RIF).

Taylor noted that all USFK employees, both American and Korean, have a variety of rights and protections during the RIF process. Among those protections is preferential placement into vacant positions for which they are reasonably qualified. Beyond those rights, USFK has requested that the Korean government assist in job retraining, and employment assistance and referral programs. The ROK government has also been asked to explore eligibility of separated employees for subsidized loans to help them start their own private businesses.

The command's civilian personnel system managers are studying means to minimize the number of employees who will be affected in each year of the force reduction. Whenever possible, he said, cuts will be made through attrition and voluntary separations.

Harrel Sholar, USFK director of civilian personnel, said "We are sympathetic to the employees' concerns and are doing everything we can at this level and within the U.S. system to meet employees' needs."

- 30 -

Employee Fact Sheet What to do in the event of labor union action against USFK

The Koren Korean Employees' Union leadership voted 20th December to authorize a labor action against USFK on the issue of special severance pay for employees affected by the reduction of USFK's strength. The action is tentatively scheduled to begin 24th December. Because of the issue involved, the strike is legal. Following are facts everyone should know in the event an action is called...

1. Personnel may picket or hold rallies outside the gates of military installations. No labor action activities are permitted on the installation. Korean National Police will remove persons illegally conducting labor action activities on any military installation.

2. Personnel classed as key and critical may not participate in any labor action. Key and critical personnel who fail to report to work during the strike action must have a valid, excused reason for being absent. Persons classed as key and critical must be allowed to pass through picket lines unimpeded.

3. Personnel who participate in the labor action will not be paid for the time missed unless leave has been approved in advance.

4. U.S. soldiers, U.S. civilian employees, contractors and their employees and American family members may not participate in the labor action; nor may they interfere with personnel participating in the labor action.

5. Violence or actions which unnecessarily affects military readiness will not be tolerated. Personnel observed participating in violence will face disciplinary action upon returning to work.

Release No. 12-2

SEOUL (USFK) December 20, 1991 -- The Korean Employees Union (KEU) has demanded special severance pay for employees who may be separated by RIF during the civilian drawdowns mandated by reduced budgets and other adjustments in the US Forces.

USFK is making every effort to reduce the impact on Korean employees while staying within the budget authorized by higher authority. In spite of the drastic reductions in the budget, actual RIF separation of Korean employees during the past year has been minimal. Other critical programs have been sacrified and separation of employees has been held to a minimum through the use of attrition and aggressive placement efforts into other available jobs. These efforts of USFK to ensure the well being of Korean employees are continuing.

In the midst of this difficult time, which calls for cooperation to balance the need for adjustments while ensuring the well being of the entire USFK/work force, the decision of the KEU to resort to a general strike is indeed regretable. Such a strike is not in the best interest of any of the parties concerned.

Following is the USFK position regarding the issues and the strike called for by KEU

1. On the KEU demand: KEU's demand for 40 months special severance pay is not acceptable nor is it justified. USFK provides a severance pay system which was fully negotiated with the KEU in 1979 and approved by the US and Korean governments as an international agreement. USFK is also a participant in the Korean National Pension program. These are the two programs required of an employer by Korean law to provide financial assurance for employees after termination from employment. Total current annual USFK expenditures for providing these programs amount to more than $25 million. All legal obligations are fully met by USFK.

2. USFK efforts with the Korean Government: USFK recognizes some employees, especially those who are separated prior to their scheduled

retirement, will face problems in transitioning to Korean employment. USFK believes the Korean government is in the best position to provide transition assistance for such USFK employees. USFK requested the Korean government to consider several programs, including a transition assistance payment. The SOFA Joint Committee met on 11 December 1991 and the USFK proposed programs were discussed. It is our understanding that they are under sympathetic consideration of the Korean government.

3. On the strike: USFK will enforce a "No work, no pay" policy against all employees who participate in the strike. Strike by essential employees identified under the SOFA Joint Committee Memorandum of 29 August 1974 at the 97th SOFA Joint Committee meeting, as listed in USFK Regulation 690-22, will be a violation of the US-ROK SOFA. USFK expects that no violation of the SOFA and ROK law by our employees will occur during the strike.

The USFK sincerely believes a general strike is not in the interest of either USFK or its Korean national employees.

NOTICE TO ALL EMPLOYEES

SUBJECT: USFK Efforts to Assist Employees

The United States Forces, Korea is concerned about Korean employee's facing reduction in force due to budget reductions and force restructuring. The command is making sincere efforts to ensure the impact on Korean civilian employees is reduced as much as possible while staying within our budget guidelines. The command is currently meeting all requirements of the Status of Forces Agreement (SOFA) concerning employee compensation, working conditions, severance pay and employee benefits.

The Korean Employees' Union (KEU) has demanded a special severance pay of up to 40 months pay for employees who may be prematurely separated from employment with USFK because of the reduced budget and mandated reductions in force. Given the budget available to USFK, such payment cannot be considered. USFK has, however, requested the Korean government to take measures to assist our employees who are involuntarily separated. These measures were discussed at the December 11 ROK/US SOFA Joint Committee Meeting.

The Korean government has been requested to assist in job retraining, and employment assistance and referral programs. They have also been asked to explore the eligibility of separated employees for subsidized loans to help them start their own private businesses.

Korean employees of USFK perform work in a variety of professions and have considerable proficiency. The skills and knowledges of these highly qualified employees can be tailored to suit the Korean economy; thus making many of them desirable employees for established firms. The Korean government has been requested to undertake such a program. The programs requested of the Korean government may require a substantial period of time before the participants become self supporting. During this time, our former employees may need financial assistance. We have asked the Korean government to provide such financial assistance.

The command is studying means to minimize the number of employees who will be affected by force reduction. Whenever possible, cuts will be made through attrition and voluntary separations. Unfortunately, the command's hands are tied concerning the special severance pay issue. Making a settlement that goes beyond the currently agreed-upon severance compensation program would require resources that just aren't available.

USFK is sympathetic to the employees' concerns and is doing everything possible at this level to meet employees' needs.

10

0194

FKCP-LPM
Mr. Choe/724-6486
10 December 1991

POINT PAPER
STRIKE - UNION AND MANAGEMENT RESPONSIBILITIES

BACKGROUND: Potential for strike in December is high - Commanders must be informed of their responsibilities and what to expect/demand of the union.

DISCUSSION:

- The Korean Employees Union (KEU) labor dispute filed in October 1990 has been resolved except for the issue of special severance pay.

-- This issue is under consideration by the SOFA Joint Committee.

--Cost of demand in current dollars exceeds $400 million.

- KEU has resolved to take a strike vote if no satisfactory news is received on the issue by 20 Dec 91.

-- Plans call for strike on 24 Dec 91.

-- Participation in strike on this issue is legal except for essential employees listed in USFK Reg 690-22.

-- Essential employees are required to report for duty as scheduled during any strike.

- Management is responsible for:

-- Maintaining security; health and welfare

-- Designating gates which will remain open.

-- Contacting KNP to provide security and maintain law and order.

-- Assuring no confrontation occurs between US and Korean personnel.

-- Avoiding use of Military Police except as last resort.

0195

--Continuing essential functions.

-- Monitoring attendance.

--Assure denial of leave requests to avoid mass leave.

-- Record absences, paying particular attention to the attendance of essential employees as listed in USFK Regulation 690-22.

-- Informing KEU

---That violence/physical disruption will not be c ondoned.

--- Which gates will remain open, soliciting KEU assistance in permitting free flow of vehicle and pedestrian traffic.

--- That no demonstration or picketing is permitted on post.

--- That essential employees as listed in USFK Reg 690-22 must be permitted/urged to report for duty.

--- That any other employee desiring to report for duty should be permitted to do so.

--- That USFK will enforce a "No Work - No Pay" policy.

--- That the KNP will be utilized to maintain security and law and order.

-- Inorming employees:

--- That a "No Work - No Pay" policy will be enforced.

--- That mass leave requests will be denied.

--- That essential employees must report for duty as scheduled or face potential disciplinary action.

--- Which gates the installation will attempt to keep open.

- The union is responsible for:

-- Maintaining peaceful strike.

FKCP-LPM
SUBJECT; Strike - Union and Management Responsibilities

-- Avoiding violence and physical confrontation.

-- Permitting free flow of vehicles and pedestrians at designated gates.

-- Cooperating with management to minimize disruption.

Approved by: ____________________
HARREL G. SHOLAR
Civilian Personnel Director

노 동 부

우 427-010 경기도 과천시 중앙동 1 /전화 (02)504-7338 /전송 503-9771~2

문서번호 국제 32220-18210
시행일자 1991. 12. 17. ( ).

수신 주한미군노동조합장
참조

제목 합동위원회 회의 결과 통보

0198

1. 국제 32220-16803호 ('91.11.22) 와 관련입니다.

2. 귀 노조의 쟁의문제와 관련하여 합동위원회의 회의 결과를 아래와 같이 알려 드리오니 업무에 참고하시기 바랍니다.

3. SOFA 합동위원회 미측 대표인 Ronald R. Fogloman 주한미군 부사령관이 합동위원회 한국측 대표인 반기문 외무부 미주국장 앞으로 '91.11.22 서한을 보내 조기 퇴직하게되는 주한미군 종업원에 대한 퇴직금 문제를 아래와 같이 사회구제 차원에서 해결하여 줄 것을 요청하여 왔습니다.

- 아 래 -

- 신규 직장 물색시까지 직업재훈련 실시
- 취업알선
- 개인사업 희망 고용원들에 대한 금융지원 또는 사업 허가 취득 지원
- 신규 직장 확보시까지 일정기간 경제적 지원

'91 12/18 9:34 0001 ° DAEWOOFAX 10 SERIES FAX7700001 PAGE 02

0199

우 427-010 경기도 과천시 중앙동 1 /전화 (02)504-7338 /전송 503-9771~2

4. '91.12.11 개최된 제 170차 합동위원회 회의에서 미측은 상기 서한을 회의록에 수록할 것을 제안하고 한국측은 이에 동의하였으며 외무부는 동 서한을 관계부처에 송부 검토하도록 한 바 있습니다.

5. 따라서 상기 서한에 대하여는 합동위원회의 회의 결과에 따라 검토할 예정입니다. 끝.

노 동 부 장

0200

◇감원반대 및 사후대책 보장
특 별 결 의 문

우리는 6.25남침이후 40여년간이라는 오랜세월동안 온갖 시련을 헤쳐가며 주한미군 작전임무를 지원 국토방위에 일익을 담당해 왔으며 경제발전과 민간외교사절이라는 사명감을 가지고 충실히 근무해 왔다.

우리는 장기근속 평균22년으로서 대부분 40대 후반이며 이중 50%가 50세 이상이 되고 있어 감축에 따른 감원시 사회 재취업이 불가능한 실정이며 특히 매년 청산식인 비합법적인 퇴직금 제도로 말미암아 실직시 생활대책이 전무한 매우 심각한 상태임에도 한·미양측은 철군계획에 따른 근로자들에 대한 사후대책이 전무한 상태이다.

우리는 이와같은 급박한 현실을 직감하고 '90.10.19일 대회 결의와 동시 쟁의신고에 이르렀으며 동문제가 지난3월 한·미합동위원회에 정식으로 넘겨져 쟁의냉각기간 70일이 훨씬 넘은 현재까지 우리는 인내와 자중으로 한·미정부당국의 성의를 기대해 왔으나 오늘에 이르기까지 확고한 대책이 없이 실망과 분노를 금치 못하는 바이다.

우리는 주한미군당국의 부당한 감원철회와 한·미정부당국에 즉각적이고 확고한 사후대책 보장을 촉구하며 다음과 같이 강력히 결의하는 동시에 이를 즉각 이행치 않을시 어떠한 투쟁도 불사할 것을 천명하는 바이다.

다 음

1. 우리는 한·미정부당국의 무책임한 정책에 통탄을 금치 못하며 사후대책 보장을 즉각 실행하라!
1. 우리는 생존권을 박탈하는 무책임한 감원정책을 강력히 반대하며 주한미군당국은 무모한 감원 정책을 즉각중단하라!
1. 한·미정부당국은 한국인 근로자문제를 모든 정책에 우선하라!
1. 한국정부당국은 주한미군 한국인근로자들이 수십년간 국가에 공헌한 익군임을 인지하고 생존권을 보장하라!
1. 우리의 이와같은 정당한 요구가 관철되지 않는한 한·미정부당국의 어떠한 정책도 인정할수 없으며 강력한 투쟁도 불사할것을 재천명한다.

1991. 12. 20

전국주한미군노동조합

제30차정기전국대의원대회

0201

기 지 폐 쇄 반 대

특 별 결 의 문

주한미군당국은 예산삭감이란 구실로 군사적 요충지로 지목되어 수십 년간 유지하며 작전수행으로 각종 지원업무를 하여왔던 일부기지를 폐쇄 할 계획을 준비 중에 있다.

우리 근로자들은 군작전 업무에 청춘과 충절을 다바쳐 헌신하여온 생활 터전을 잃은 엄청난 시련을 않게 되겠다.

주한미군 당국은 기지폐쇄조치 이전에 근로자에 대한 도의적 책임의무를 다할것을 강력히 요구하며 다음과같이 결의한다.

다 음

1. 주한미군당국은 기지폐쇄 실행전에 근로자 생존권을 선행 조치하라!

1. 주한미군당국은 예산문제를 구실삼는 대책없는 기지폐쇄를 즉각 중단하라!

1. 주한미군당국은 시국판단을 착오말고 일방적인 기지폐쇄를 중단하라!

1991. 12. 20

전 국 주 한 미 군 노 동 조 합

제30차 정 기 전 국 대 의 원 대 회

0202

국회결기대회 특별결의문

우리는 6.25남침이후 40여년간이라는 오랜세월동안 온갖 시련을 헤쳐가며 주한미군 작전업무를 지원 국토방위에 일익을 담당해 왔으며 경제발전과 민간외교사절이라는 사명감을 가지고 충실히 근무해 왔다.

우리는 장기근속 평균22년으로서 대부분 40대 후반이며 이중 50%가 50세 이상이 되고 있어 감축에 따른 감원시 사회 재취업이 불가능한 실정이며 특히 매년 청산식인 비합법적인 퇴직금제도로 말미암아 실직시 생활대책이 전무한 매우 심각한 상태임에도 한.미양측은 철군계획에 따른 근로자들에 대한 사후대책이 전무한 상태이다.

우리는 이와같은 현실을 직감하고 쟁의신고는 물론 한.미 합동위원회에서도 아무런 결론을 얻지 못해 국회에 청원하고 국회 노동, 국방위원회에 협조를 요청한바 있으나 국민에 대변자인 국회는 회기가 끝나는 현재까지 우리에 생존권을 외면하는 불성실한 태도에 대해 실망과 분노를 금치 못하며 다음과 같이 강력히 촉구 결의한다.

다 음

1. 국회는 주한미군 한국인근로자의 생존권을 보장하는 대책을 강구하라!
1. 국회는 한.미정부당국에 한국인 근로자에 대한 사후대책을 촉구하라!
1. 국회는 한국인 근로자문제를 모든 정책에 반영하라!
1. 국회는 국민의 대변자로서의 의무를 촉구하며 한국인근로자의 요구가 관철되도록 앞장서라 !

1991. 12. 20.

전 국 주 한 미 군 노 동 조 합

제30차 정기 전국대의원 대회

0203

사후대책교섭 집행부 위임
특 별 결 의

전국주한미군노동조합은 제30차 정기대의원대회에서 조합이 그동안 무쟁하여온 쟁의에 대하여 심중깊은 토의결과 그간의 집행부 노력에 대하여 찬사와 아울러 노고에 감사하는 바이며 현재까지 사후대책문제에 대해 결정을 보지 못했으나 주한미군당국의 성의있는 실질행동이 금번 한.미합동위원회의에서 정식으로 논의된바 있으며 근로자들의 입장을 한국정부에 반영하여 준 사실과 주한미군 참모장이 본 대회에 참석하여 주한미군의 입장과 앞으로의 근로자 문제에 대한 적극적인 협조적 차원의 격려가 있었다.

또한 정부측 반응에 대한 검토결과(노동부서면) 주한미군당국의 요청을 정식으로 접수하고 정부 관계 부처간의 협의토록 할 것임을 확인한바,

대의원대회에 전체 대의원의 결의에 따라 파업을 유보하고 집행부가 노.사.정,간의 긴밀한 대화로서 사후대책문제 즉 감원자에 대한 위로금 요청관계를 최대한의 교섭으로 추진 할 것을 위임한다.

또한 집행부는 기지폐쇄 및 각종 노사문제를 시급히 원만한 처리를 하여야 할것이며 휴가제도 문제와 기타 쟁의에 관한 문제도 계속 투쟁하여 줄 것을 강력히 요구하며 주한미군당국과 한국정부의 성의있는 노력을 촉구한다.

1991. 12. 20.

전 국 주 한 미 군 노 동 조 합
제30차 정기 전국대의원 대회

0204

고용안정 및 해고자에 대한 사후대책 촉구 결의

우리근로자들은 북한의 남침으로 어려운 국가운명의 위급함을 극복하기 위하여 주한미군 주둔시에 최전방에서 군부상병과 군수품 그리고 포탄을 운반하면서 많은 생명을 잃었으며 휴전후 오늘날에 이르기까지 잿더미로 얼룩진 조국과 민생고에 허덕이는 국가경제 재건에 앞장서 왔으며, 국토방위와 경제부흥에 피와땀으로 애국하며 젊은 청춘을 다받쳐 충절하여 왔다.

한편 우리근로자들은 매우 중요한 주한미군 군사지원업무를 수행하면서 한.미 우호증진은 물론 그동안 발생한 판문점 도끼만행사건등 수차에 걸친 북한의 비도덕적인 만행 발생시마다 인명구제와 복구사업 그리고 군사훈련지원으로 국토방위의 선봉에서 목숨을 걸고 열심히 노력하여 왔다. 그러나 최근 한반도 주변의 급격한 국제정세 변화와 남북간 화해분위기에 따라 주한미군의 단계적인 철수가 확정된 상황하에서 우리근로자들은 대량감원이 발생하여 생존권마저 위태로운 급박한 시점에서 한.미 양국정부는 단계적 철수계획을 수차에 거쳐 협의를 하는과정에서 수만 근로자의 사후대책이나 어떠한 대안도 없이 대량감원을 시행하고 있으며, 앞으로는 더욱더 가속화 될 것으로 보여 우리 주한미군 근로자들은 불안한 나날을 공포감속에서 지내고 있는 실정이다.

조합은 한.미양국에 근로자들의 사후대책을 요구 쟁의신고까지 되어있으나 1년이 넘도록 방관하고있는 정부의 작태에 울분을 금치 못하는 바이다.

이에 우리근로자들은 무성의한 주한미군당국과 정부의 처사에 대하여 근본적인 해결책을 강력히 촉구하는 바이며, 우리주한미군 근로자들은 대부분 장기근속자들로 평균 근속년수가 20년이 넘고있으며 평균연령도 50세가 넘어 이직이 불가능한 절망적인 상태에서 감원을 당하여야 하며,

또한 장기근속자들을 고용주의 일방적인 조치로 시간제고용(파-타임) 및 시간감축을 감행하고있이 생계위협을 가중시키고있는 주한미군 당국의 작태에 실망함은 물론 부당함을 강력히 항의하는 바이다.

또한 주한미군당국은 1979년도에 교묘한 수법으로 퇴직금을 일괄청산하고 매년청산하는 퇴직금제도를 시행 퇴직자가 퇴직시 단한푼의 퇴직금없이 빈손으로 삶의 터전을 잃고마는 비인도적 행위를 철회하고 즉각 퇴직금누진제 부활과 그동안의 근무년한에 따른 특별퇴직수당을 지급하여 사후대책을 보장해 줄것을 강력히 촉구하며 우리의 요구가 양국간 어떠한 조건이던 해결방안이 없을시는 전국적인 작업거부 파업은 물론 국제노동기구를 통하여 기필코 성취하는데 끝까지 투쟁 할 것임을 경고하는 바이며, 다음과 같이 촉구 결의 한다.

다　　음

1. 한.미 양국정부는 고용안정과 이직보장으로 근로자들의 생계를 보장하라!
1. 한.미 정부당국은 부당한 퇴직금제도를 시정하고 사후대책보장으로 누진퇴직수당을 지급하라!
1. 주한미군당국은 철군계획과 예산삭감이란 명분으로 일방적인 감원과 그 계획을 철회하라!
1. 주한미군당국은 근로자들의 권익을 저해하는 시간제고용(파-타임) 및 시간감축제도를 철회하라!

구　　호

1. 보상하라 내청춘 마련하라 사후대책.
1. 뭉치자 투쟁하자 생존권을 위하여.
1. 주한미군당국은 부당노동행위를 즉시 근절하라.

6 APR 92
16:00 HRS TO
18:00 "

-2-

0206

정/리/보/존/문/서/목/록

기록물종류	문서-일반공문서철	등록번호	29283	등록일자	2008-08-14
분류번호	729.411	국가코드		주제	
문서철명	SOFA 한.미국 합동위원회 - 시설구역분과위원회, 1980-81				
생산과	안보과	생산년도	1980 - 1981	보존기간	영구
담당과(그룹)	미주	안보	서가번호	--	
참조분류					
권차명					
내용목차	* 군사 시설 확충관련 포함 * 2011년 공개심의대상				

마/이/크/로/필/름/사/항				
촬영연도	*롤 번호	화일 번호	후레임 번호	보관함 번호

국 방 부

관제 123- 81 792-6331 80. 1. 17.

수신 외무부 미주국 안보문제담당관

제목 한미시설 및 구역분과위원회 제 130차 회의 개최 통보

1. 한미시설 및 구역분과위원회 제 130차 회의를 아래와 같이 개최 하고자 하오니 각 위원께서는 참석하여 주시기 바랍니다.

- 아 래 -

가. 일시 : 1980. 2. 1. 14 : 30 (금요일)

나. 장소 : 미 8군 소파 회의실

다. 의제 : 주한미군 시설과 구역의 토지공여 및 해제반환과 미군시설 보호를 위한 협의와 기타 제반안건 등 36건.

2. 금번 회의는 주한미군측에서 주관하므로 각 위원께서는 미 8군 영내에 출입시 이용하실 차량번호를 유선 (792-6331) 으로 알려 주시기 바랍니다. 끝.

발송 1980. 1. 17 국방부

국 방 부 장

제27조 제2항의 규정에 의하여

시설국장 안 병 욱 전결

2

전기	외무부	지시
	접수번호	제 1756호
	접수일자	1980. 1. 1
	위임근거	

2

국 방 부

관제123-643 792-6331 80. 4. 11.

수신 외무부 미주국 안보문제담당관

제목. 한미시설 및 구역분과위원회 제 131차 회의 개최 통보

1. 한미시설 및 구역분과위원회 제 131차 회의를 아래와 같이 개최 하고자 하오니 각 위원께서는 참석하여 주시기 바랍니다.

– 아 래 –

가. 일시 : 1980. 4. 25. 14 : 30 (금요일)

나. 장소 : 국방부 정책회의실 (제 313 호실)

다. 의제 : 주한미군 시설과 구역의 토지공여 및 해제반환과 미군시설 보호를 위한 협의와 기타 제반안건 58건. 끝.

국 방 부 장

시설국장 안 병 옥 전결

4

결재	외 무 부		지 시 사 항	
	접수 번호	제12737호		
주무과	접수	1980. 4.		
담당			197 년 월 일 까지 처리할것	

5

국 방 부

관재 123 - 1442 792 - 6331 80. 8. 18.

수신 외무부 미주국 안보문제 담당관

제목 한미 시설 및 구역분과 위원회 제132차 회의 개최 통보

1. 한미 시설 및 구역분과위원회 제132차 회의를 아래와 같이 개최하고자 하오니 각 위원께서는 참석하여 주시기 바랍니다.

아 래

가. 일시 : 1980. 8. 29. 14:30 (금요일)

나. 장소 : 미8군 소파 회의실 (건물번호 2462)

다. 의제 : 주한미군 시설과 구역의 토지 공여 및 해제반환과 미군시설 보호를 위한 협의와 기타 제반 안건 71건.

2. 금번 회의는 주한미군측에서 주관하므로 각 위원께서는 미8군 영내 출입시 이용하실 차량번호를 유선 (792 - 6331)으로 알려주시기 바랍니다. 끝.

국 방 부 장

정부 공문서 규정 제27조 제2항의 규정에 의하여
시설국장 한 상 우 전결

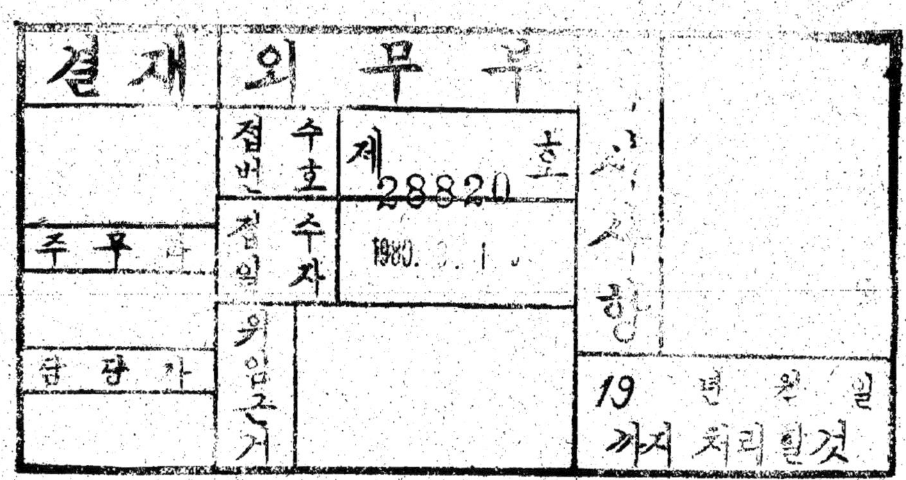

결재	외무부			
	접수번호	제 28820 호	지시사항	
주무과	접수일자	1980. . .		
담당자	위임근거		19 년 월 일까지 처리할것	

7

리

국 방 부

관제 123 - 1710 792 -6331 80. 9. 29

수신 외무부

참조 미주국 (안보문제 담당관)

제목 한미시설 및 구역분과 위원회 제 133차 회의 개최 통보

1. 한미시설 및 구역분과 위원회 제133차 회의를 아래와같이 개최하고자 하오니 각 위원 께서는 참석하여 주시기 바랍니다.

아 래

가. 일시 : 1980. 10. 10 11:00 (금요일)

나. 장소 : 국방부 정책회의실 (313호실)

다. 의제 : 주한미군 시설과 구역의 토지 및 시설 해제반환과 미군시설 보호를 위한 협의와 기타 제반안건 토의.

발송 1980. 9. 29 국방부

국 방 부 장 관

사무처리규정 제27조 제 2 항의 규정에 의하여
시설국장 한 상 우 전결

8

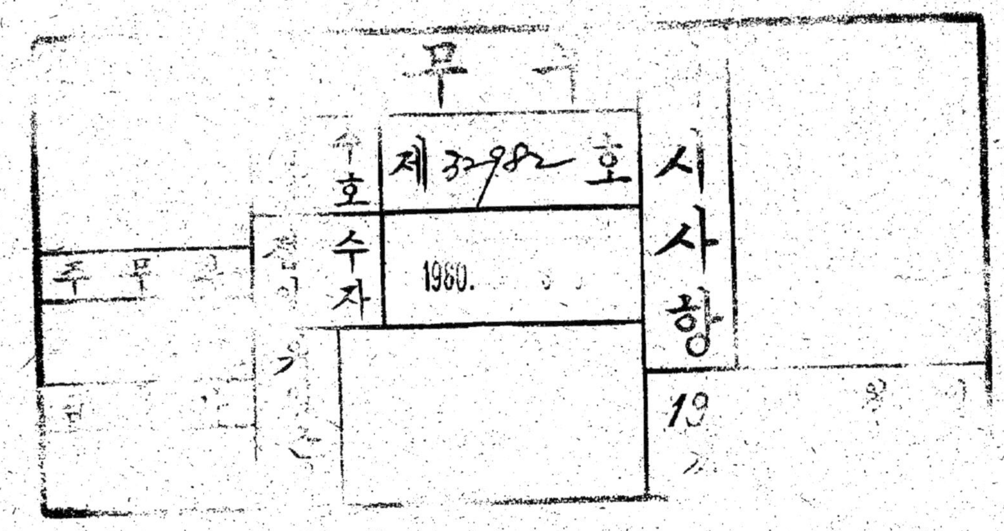

9

국 방 부

관재 123 - 19 792 - 6331 81. 1. 6

수신 외무부 장관

참조 미주국 안보문제 담당관

제목 한미시설 및 구역분과위원회 제134차 회의 개최 통보

1. 한미시설 및 구역분과 위원회 제134차 회의를 아래와같이 개최하고자 하오니 각위원 께서는 참석하여 주시기 바랍니다.

아 래

가. 일시 : 1981. 1. 16 11:00 (금요일)

나. 장소 : 미8군 S.O.F.A 회의실 (건물 번호 2462)

다. 의제 : 주한미군 시설과 구역의 토지공여 및 해제반환과 미군시설 보호를 위한 협의와 기타 제반안건 69건

2. 금번회의는 주한미군 측에서 주관하므로 각위원 께서는 미8군 영내 출입시 이용하실 차량번호를 유선 (792-6331)으로 알려 주시기 바랍니다. 끝.

국 방 부 장

정부 공문서 규정 제27조 제2항의 규정에 의거
시설국장 한 상 우 전결

10

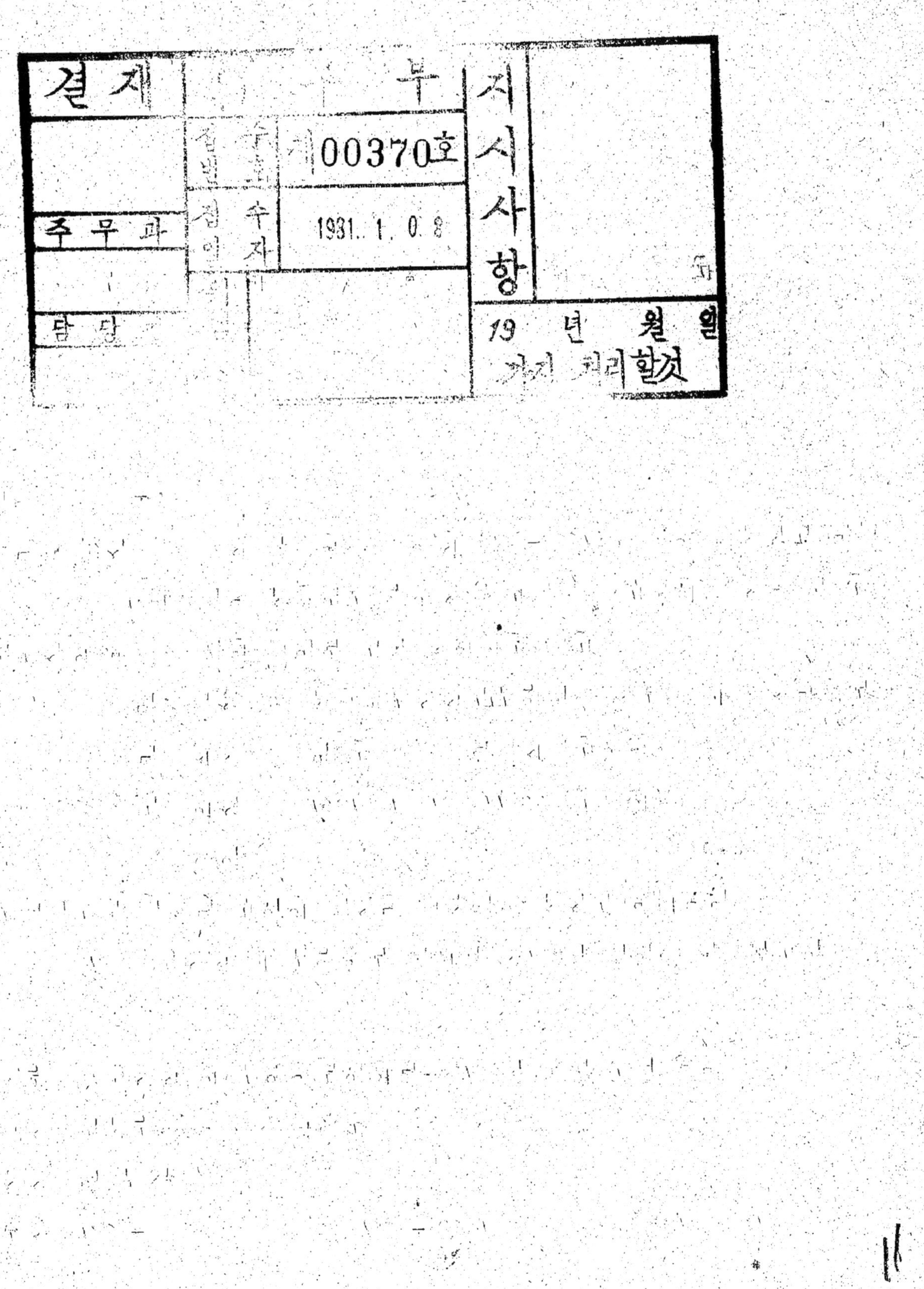

결 재		업 무	지시사항	
	접수번호	제00370호		
주무과	접수일자	1981. 1. 0. 8		
담당			19 년 월 일까지 처리할것	

국 방 부

관제 123-309 81. 2. 28

수신 외무부장관

참조 미주국 안보문제 담당관

제목 한미시설 및 구역분과 위원회 제135차 회의 개최 통보

1. 한미시설 및 구역분과 위원회 제135차 회의를 아래와같이 개최하고자 하오니 각위원께서는 참석하여 주시기 바랍니다.

아 래

가. 일시 : 1981. 3. 13 14:30(금요일)

나. 장소 : 국방부 제1회의실

다. 의제 : 주한미군 시설과 구역의 토지공여 및 해제반환과 미군시설 보호를 위한 협의와 기타 제반안건 61건. 끝.

국 방 부 장 관

공문서 규정 제27조 제2항의 규정에 의하여
시설국장 한 상 우 전결

발송 1981. 2. 28 국방부

12

결재	외무부			지시사항	
	분류번호	제5442호			
주무과	접수일자	1981. 7. 10			
담당자	위임근거			19 년 월 일까지 처리할것	

13

공 란

공　　　란

공 란

공 란

공　　　란

공 란

공 란

공 란

공 란

공 

공　　란

공 란

공 란

공 란

공　　　란

공 란

공 란

공 란

공 란

공 란

공 란

공　　　란

공 란

공 란

공 란

공 란

공 란

공　　　란

공 란

공 란

공 란

공 란

불법무기자진신고

국 방 부

관재 123 - 756　　　　　　　　　　　　81. 5. 16

수신 외무부 미주국 안보문제담당관

제목 한미시설 및 구역분과 위원회 제136차 회의 개최통보

1. 한미시설 및 구역분과 위원회 제136차 회의를 아래와같이 개최하오니 각 위원께서는 참석하여 주시기 바랍니다.

아 래

가. 일시 : 1981. 5. 29 14:30 (금요일)

나. 장소 : 주한미군 8군 사령부 S.O.F.A 회의실

다. 의제 : 주한미군 시설과 구역의 토지공여 및 해제반환과 미군시설 보호를 위한 협의와 기타 제반안건 56건.

2. 금번 회의는 주한미군측에서 주관하므로 각 위원께서는 미8군 영내출입시 이용하실 차량번호를 유선 (792-6331)으로 알려주시기 바랍니다.

끝.

공람	안보문제담당관	81년 5월 19일	과장	담당관	심의관	국장
			坤		공로명	

발송 1981. 5. 18 국방부

국 방 부 장

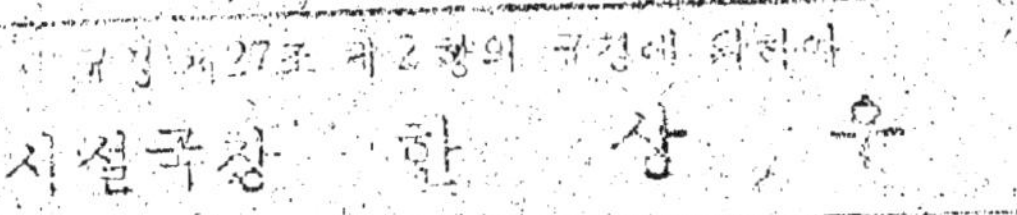

46

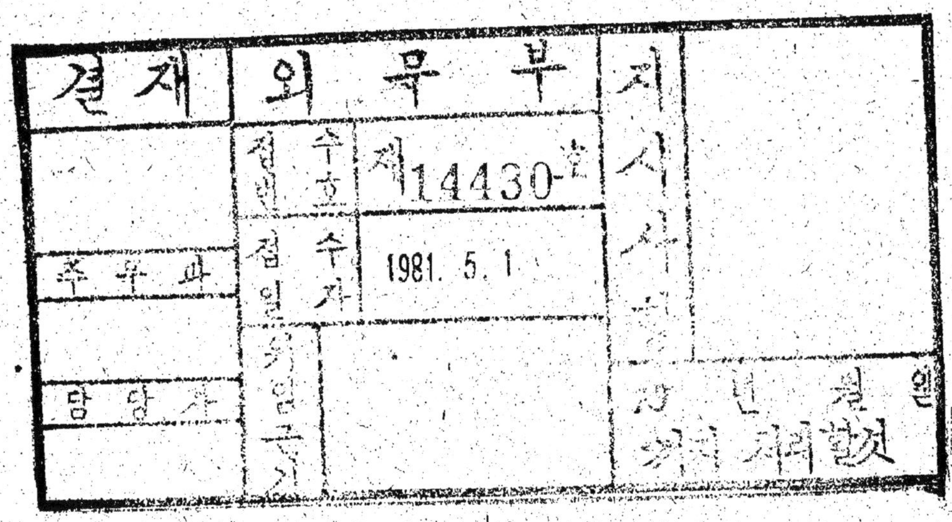

결재	외 무 부		지 시 사 항	
	접수 번호	제 14430 호		
주무과	접수 일자	1981. 5. 1		
담당자	처리 기일			년 월 일 까지 처리할것

47

외 무 부 착신전보

번 호 : USW-06262 일 시 : 221730 종 별 :

수 신 : 장관

발 신 : 주미 대사

제 목 : 하원 아.태 소위 서한

연: USW-06131

1. 하원 외무위측에 의하면 하원 아.태 소위 (위원장 : SOLARZ) 는 레이간 대통령에게 지난 6.19(금) 보낸서한을 통해 대만에 대한 FX 등의 고성능 전투기 판매를 중지할것과, 대중공 무기 판매에 대하여는 WITH THE GREATEST CAUTION 으로 접근할것을 촉구하였다함

2. 동 서한은 대중공 무기 판매는 중공의 군사력 증강에 도움이 되지 않고 오히려 쏘련을 자극시키는 결과만 초래할 것이라하며, 중공에 대한 무기 판매의 경우 , 아시아 우방국에 대한 위협이 되지 않도록 방위 목적만을 위한 것이여야 함을 주장 하였다함

3. 동 소위원회는 지난 6.10. 연호와 같이 대중공. 타이완 무기 판매에 대한 청문회를 개최 하고 이어 비공개로 동 지역에 대한 INTELLIGENCE 청문회를 개최한바 있음(미북 , 미안)

미주국 장관실 차관실 정차보 경차보 정문국 청와대 안 기 보안사

PAGE 1

81.06.23 09:41
외신 1과 통제관

상원 군사위 FY 82 군사시설 수권법안 보고서 공개

미 상원 군사위는 6.24. FY 82 군사시설 수권 법안에 대한 보고서를 공개하였는 바, 아국 관계 내용은 다음과 같음.

1. 미 8군이 한국 배치 미 육군에 대하여 행정, 의료, 보급상의 지원을 제공할수 있도록 한국내 16개 사업을 위한 소요자원 6,230만불 승인

- 사업별 내역

위 치	사 업 명	비용(천불)
Camp Humphreys	비행장 개선	6,300
K-16 (경기도 광주)	격납고	3,800
대 구	전술장비공장	1,050
군 산	송유관및 유류저장 시설	7,300
용 산	군막사	2,950
Camp Red Cloud (의정부)	군막사	1,750
기타 불특정 지역	군막사	17,500
Camp Walker (대구)	위락시설및 도서관	1,050
Camp Carroll (왜관)	체육관	2,750
Camp Hovey and Camp Owen	체육관	3,300
Camp Red Cloud (의정부)	전기시설개선	940

49

불특정지역	하수시설개선	3,150
Camp Red Cloud	하수시설개선	1,900
Camp Red Cloud	상수도시설개선	960
불특정지역	상수도시설개선	7,600
불특정지역	온도조절장치	620

2. 태평양 지역 공군에 대한 지원중 아국관계부분

- 사업별 내역

위 치	사 업 명	비용(천불)
함평통신소	다목적 시설	1,540
홍해통신소	다목적 시설	1,500
군산 공군기지	유류 가동종합시설	1,000
	유류탱크유지시설	510
	엔진검사및 수리시설	1,210
	제트 연료 저장시설	1,450
	가족미동반사병주택	5,110
광주공군기지	제트 연료 저장시설	6,650
오산공군기지	비행장 포장	4,240
	위험화물 발착대	900

50

	계기착륙및 항법시설	520
	항공기 방호시설	9,450
	가족미 동반사병주택	4,920
	전기시설개선	2,890
	상수도 및 저수시설	3,800
계		45,690

공람	안보담당관	81년 6월 2일	담당	담당관	심의관	국장	차관보	차관	장관

51

정직 · 질서 · 창조

국 방 부

관제 123-1374 81. 8. 21

수신 외무부 미주국 안보문제 담당관

제목 한미시설 및 구역분과 위원회 제137차 회의 개최 통보

1. 한미시설 및 구역분과 위원회 제137차 회의를 아래와같이 개최하오니 각 위원께서는 참석하여 주시기 바랍니다.

아 래

가. 일시 : 1981. 8. 28 14:30 (금요일)

나. 장소 : 국방부 제1회의실

다. 의제 : 주한미군 시설과 구역의 토지공여 및 반환과 미군시설 보호를 위한 협의와 기타 제반안건 73건. 끝.

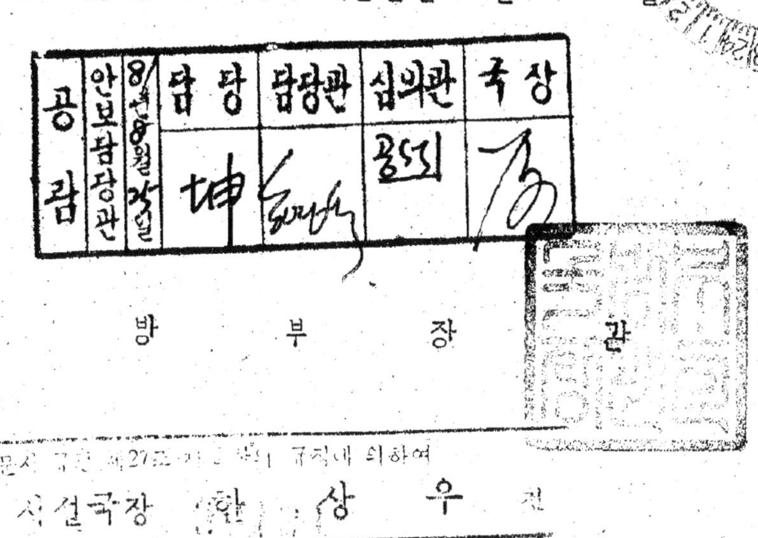

공람	안보담당관	8월 24일	담당	담당관	심의관	국장
			坤		공51	

국 방 부 장 관

군문서 규정 제27조 규정에 의하여

시설국장 한 상 우 전

52

53

국 방 부

관재 123 - 1758 81. 10. 27

수신 외무부 미주국 안보문제 담당관

제목 한미시설 및 구역분과 위원회 제138차 회의 개최통보

1. 한미시설 및 구역분과 위원회 제138차 회의를 아래와같이 개최하오니 각 위원께서는 참석하여 주시기 바랍니다.

아 래

가. 일시 : 1981. 11. 6 12:00 (금요일)

나. 장소 : 미8군 쇼파 회의실

다. 의제 : 주한미군 시설과 구역의 토지공여 및 해제반환과 미군시설 보호를 위한 협의와 기타 제반안건 70건.

2. 금번 회의는 주한미군측에서 주관하므로 각 위원께서는 미8군 영내출입시 이용하실 차량번호를 유선(792-6331)으로 알려 주시기 바랍니다. 끝.

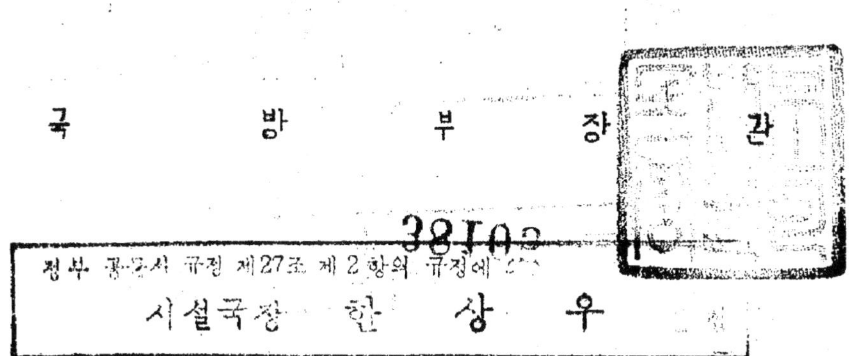
국 방 부 장 관

38103

정부 공문서 규정 제27조 제 2 항의 규정에 의
시설국장 한 상 우

54

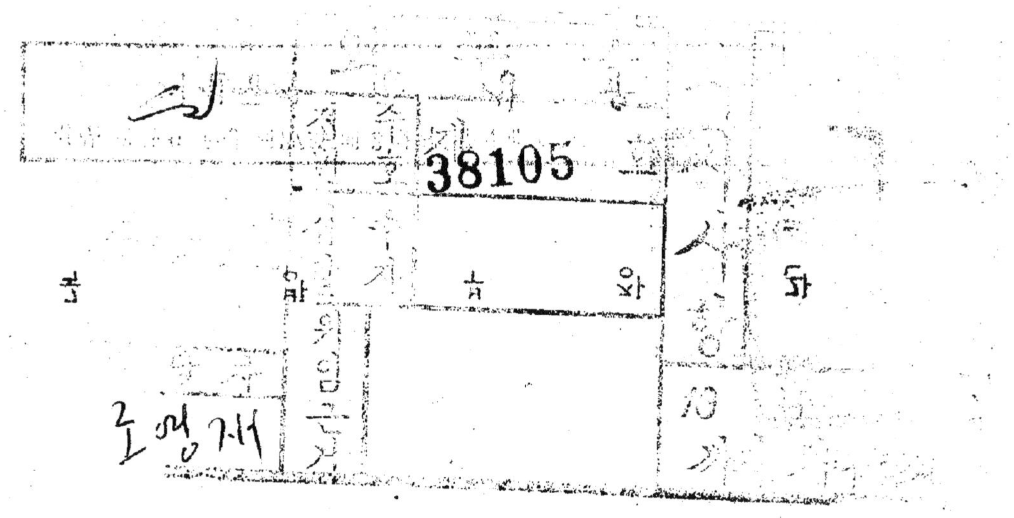

국 방 부

번호 723 - 81. 10. 27

수신 외무부 미주국 안보문제 담당관

제목 한미시설 및 구역분과 위원회 제138차 회의 개최통보

1. 한미시설 및 구역분과 위원회 제138차 회의를 아래와같이 개최하오니 귀 위원께서는 참석하여 주시기 바랍니다.

아 래

가. 일시 : 1981. 11. 6 12:00 (금요일)

나. 장소 : 미8군 소파 회의실

다. 의제 : 주한미군 시설과 구역의 토지통합 및 해제관련 각 미군시설 보호를 위한 협의와 기타 제안인건 70건.

2. 금번 회의는 주한미군측에서 주관하므로 귀 위원께서는 미8군 영내출입시 이용하실 차량번호를 유선(792-6331)으로 알려 주시기 바랍니다. 끝.

55

EACY-DPTS 29 October 1981

SUBJECT: The Siren Signals at Noon in US Army Area, Yongsan

Commander
Eighth United States Army
ATTN: C3, Command Control Center
APO 96301

1. Attached letter from the Yongsan Ward Office, Seoul is forwarded for your action.

2. Request you provide this office with an info copy of your reply.

FOR THE COMMANDER:

1 Incl
as

RAYMOND C. MORRIS
LTC, Infantry
Director of Plans, Training
and Security

56

용 산 구

용영 2079.7 - 29606 713-2495 81. 10. 22.

수신 미8군 서울지역 위수사령관

참조 한국군 연락장교

제목 평시 싸이렌 사용 제한 협조

현재 방공경보 전파 수단으로서 싸이렌을 사용하고 있어 경보 전파 및 비상시를 제외하고는 싸이렌 사용을 제한하고 있사온바 귀부대에서는 시각을 알리는 수단(정오)으로 싸이렌을 취명하고 있어 방공경보와 혼동할 우려가 있사옵기 싸이렌 취명은 방공 경보 전파와 비상시를 제외하고는 취명을 제한하여 시민의 방공경보 식별 및 방호 행동에 착오 없도록 협조하여 주시기 바랍니다. 끝.

용 산 구 청

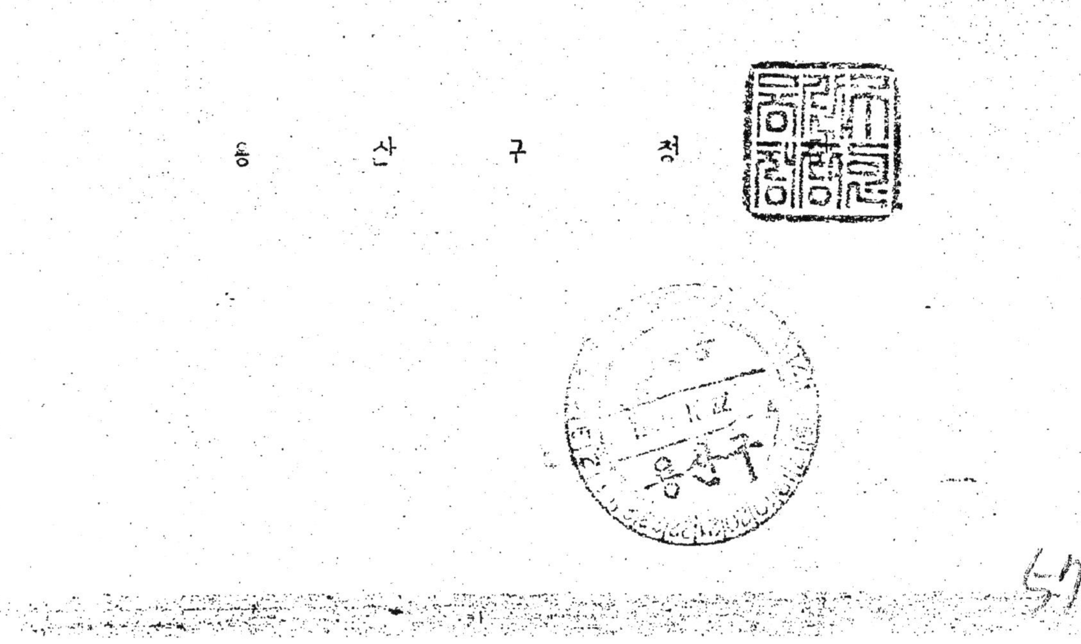

The Yongsan Ward Office, Seoul (22 October 1981)
SUBJECT: The Siren Signals at noon in US Army Area, Yongsan

Chief of Yongsan Ward Office, Seoul 23 October 1981

TO: Commander, USAGY, ATTN: EAGY-DPTS

1. The siren signals is used currently in Korea only when the civil defence exercise took place and the emergency circumstance should be called.
By the way, the siren signals has been used as a Time Alarm at noon in US Army area, Yongsan. It causes some confusion with the siren signals of Korea Government. I'd like to request you take into consideration that the use of siren signals for notifing time at noon is prohibited in Korea.
Your understanding of and appropriate action on this matter will be appreciated.

58

EAGY-DPTS 24 November 1981

SUBJECT: The Siren Signals at Noon in U.S. Army Area, Yongsan

Chief
Yongsan Ward Office
Seoul, Korea

Dear Sir,

After a careful study and staffing throughout this headquarters, I regret to inform you that your request to prohibit the testing of the Yongsan Siren System cannot be considered favorable at this time.

We have suffered major problems in the past with the wiring system of our sirens. Until such time we can replace the present cable wire system with electrical power lines, we will continue to conduct once a week siren testing for 10-16 seconds every Wednesday at 1200 hours.

Your understanding in this matter will be greatly appreciated.

Respectively Yours,

ORIGINAL SIGNED
ROBERT C. LEWIS
Colonel, Infantry
Commanding

10-03-03

59

국 방 부

관재 123 - 1816 81. 11. 2

수신 외무부 미주국 안보문제 담당관

제목 한미시설 및 구역분과 위원회 제138차회의 개최시간 변경통보

1. 당부 관재 123 - 1758 (81. 10. 27)

한미시설 및 구역분과 위원회 제138차회의 개최 통보건과 관련입니다.

2. 위 관련문서로 통보한 회의 개최시간을 아래와같이 변경 통보하오니 각 위원님 께서는 착오없이 참석하여 주시기 바랍니다.

아 래

가. 변경시간

1981. 11. 6 12:00를 1981. 11. 6 11:00로 변경.

끝.

국 방 부 장 관

3830

설국장 한 상 우 전결

60

국 방 부

번호 제 123 -   81. 11. 2

수신 외무부 미주국 안보담당관

제목 한미시설 및 구역분과 위원회 제138차회의 개최시간 변경통보

1. 당부 관제 123 - 1758 (81. 10. 27)

한미시설 및 구역분과 위원회 제138차회의 개최 통보건과 관련
니다.

2. 위 관련문서로 통보한 회의 개최시간을 아래와 같이 변경 통보
하오니 귀 위원님께서는 착오 없으시기 바랍니다.

아 래

가. 변경시간

1981. 11. 6 12:00를 1981. 11. 6 11:00로 변경.

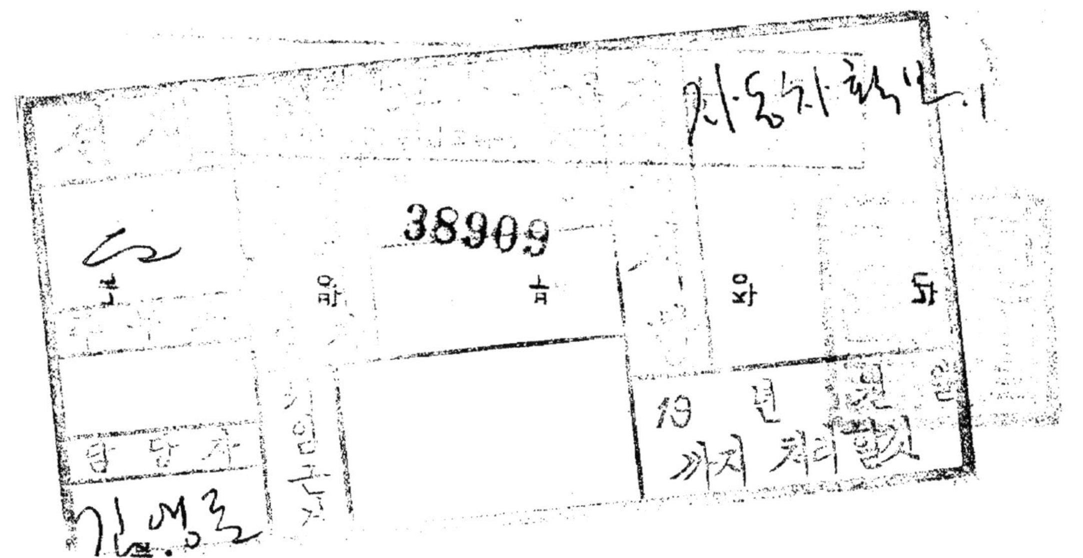

정/리/보/존/문/서/목/록					
기록물종류	문서-일반공문서철	등록번호	19718	등록일자	2003-08-07
분류번호	729.411	국가코드		주제	
문서철명	SOFA-한.미국 합동위원회 시설분과위원회, 1982				
생산과	안보과	생산년도	1982 - 1982	보존기간	영구
담당과(그룹)	미주	안보	서가번호	--	
참조분류					
권차명					
내용목차	* 시설 개수, 증축관련 포함				

마/이/크/로/필/름/사/항				
촬영연도	*롤 번호	화일 번호	후레임 번호	보관함 번호

/

외 무 부

종 별

발신전보

번 호 : WUS-0164 일 시 : 1P1400

수 신 : 주미대사

발 신 : 장 관

제 목 : 주한미군 시설증축비

1. 18.자 W.S.J. 지는 미정부가 주한미군 시설의 개수, 증축을 위해 앞으로 3년간 5억불을 투입할 계획이라고 보도하였다 하는바 동기사 전문을 타전 바라며, 가능하면 동 보도내용의 사실여부를 확인 보고 바람.

(미안)

앙고재	안보담당관	83년 7월 19일	담 당	담당관	심의관	국 장	차관보	차 관	장 관

발신시간:

최종결재	
기 안 자	조 영 재

접 수	담 당	주 무	과 장

한국일보
(1982. 1. 19.)

駐韓美軍시설 增築
3년간 5億弗투입

美 월스트리트·저널紙보도

【워싱턴18日=曺淳煥특파원】 미국은 한국에있는 낡은 美軍기지 시설을 개수하고 증축하기위해 앞으로 3년간5억달러를 투입할 것이라고 월·스트리트·저널紙가 18일 보도했다.

美국방성의 한관리는 82회계연도 미국방예산에 1억5천만달러가 한국에있는 미군기지증축비로 책정돼있으며 오산·광주·군산 공군기지와 美제2사단막사를 증축하는데 쓰여질것이라고 말했다.

레이건행정부는 「강력한미국」을 만들기위해 86회계연도까지 1조5천억달러의 국방비를 쓸수있도록 의회에요청하고 있는데 앞으로 3년간에 걸친 5억달러 주한미군기지증축계획은 그 일환으로 평가된다.

81. 12. 31. 현재 주한미군 병력현황 및 전월 대비표

구 분	81. 12. 31.	81. 11. 30.	증 감
육 군	29,439	28,170	1,269 +
해 군	324	316	8 +
해 병	51	37	14 +
공 군	9,699	9,698	1 +
군 무 원	913	902	11 +
계	40,426	39,123	1,303 +

주: 과거 수개월 보다 약 1,000명 많음.

공람	안보담당관	기안/친 20일	담 당	담당관	심의관	국 장	차관보	차 관	장 관

4

국 방 부

관재 123 - 150 82. 1. 29

수신 외무부 미주국 안보문제 담당관

제목 한미시설 및 구역분과 위원회 제139차 회의 개최통보

1. 한미시설 및 구역분과 위원회 제139차 회의를 아래와같이 개최하오니 각 위원께서는 참석하여 주시기 바랍니다.

아 래

가. 일시 : 1982. 2. 12 14:30 (금요일)

나. 장소 : 국방부 제1회의실

다. 의제 : 주한미군 시설과 구역의 토지공여 및 해제반환과 미군시설 보호를 위한 협의와 기타 제반안건 76건. 끝.

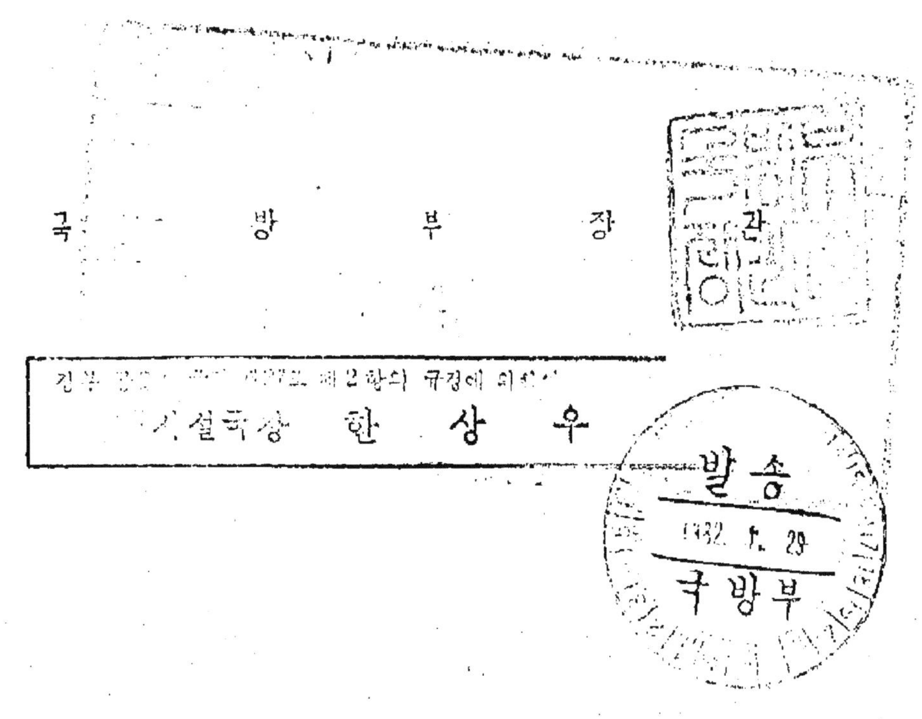

5

6

공　　란

공　　란

공 란

공 란

공 란

공 란

공 란

공 란

공 란

공　　란

공 란

공　　란

공 란

공 란

공 란

공 란

국 방 부

관재 123 - 645 82. 5. 6

수신 외무부 미주국 안보과장

제목 한미시설 및 구역분과위원회 제140차 회의개최 통보

1. 한미시설 및 구역분과위원회 제140차 회의를 아래와같이 개최하오니 각 위원께서는 참석하여 주시기 바랍니다.

아 래

가. 일시 : 1982. 5. 21 11:00

나. 장소 : 미8군 S.O.F.A 회의실

다. 의제 : 주한미군 시설과 구역의 토지공여 및 해제반환과 미군시설 보호를위한 협의와 기타 제반안건 79건.

2. 금번회의는 주한미군측에서 주관하므로 각 위원께서는 미8군 영내출입시 이용하실 차량번호를 유선 (792 - 6331)으로 알려주시기 바랍니다. 끝.

국 방 부 장

성부 공문서 규정 제27조 제 2 항의 규정에 의하여
관재과장 이 욱 문 전결

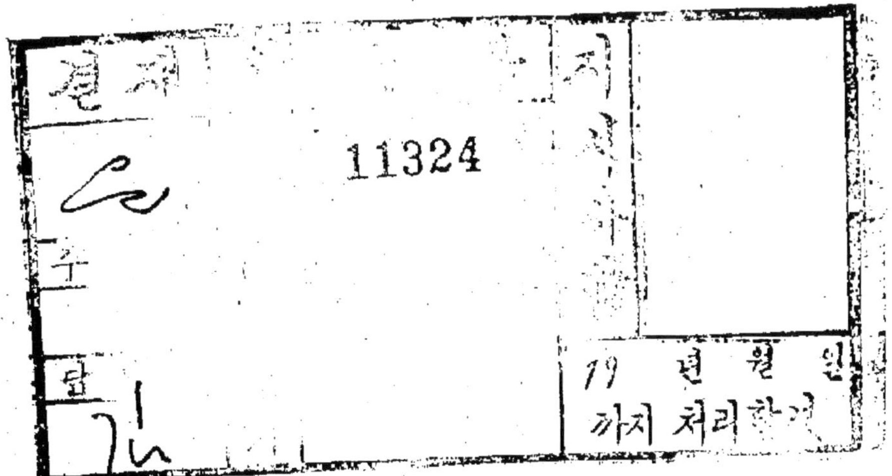
결 재
11324
주
담
19 년 월 일
까지 처리할 것

시설 구역 관계 약어 및 참고사항

(82. 8. 10.국방부 관제과 문의)

- 1C : 1 Corps, 제 1군단
- 7X : 미 7사단
- KOTAR : Korean Tactical Attack Range 공대지 훈련장
- Hardened Tactical Air Control Center : 지하 전술 항공 관제소
- Air drop rigging tower : 공중투하 적재탑 (공중에서 수송물품을 투하하여 동탑에 적재시킴)
- K-A-T (임시 취득 권요청번호): K : Korea, T : Temporary

  B A : 의정부, B : 파주,

  . C : 2사단, D : 용산,

  . E : 춘천, F : 평택,

  . G : 대구, H : 부산
- Motor pool area : 수송부
- US signal facility : 미 통신대
- CAV- : Cavalry Division 기갑사단
- ADA Direct Support Detachment : Air Defense Artillery — 방공포 직접 지원대
- SAC- : Seoul Area Command
- Building number S- : 건물 번호 (Semi-permanent construction)
- Building number F- : 건물 이외의 번호 (Facilities)

25

기 안 용 지

분류기호 문서번호	미안 723-	(전화번호)	전결규정 조 항 전결사항
처리기간		장 관	
시행일자	1982. 8. 30.		
보존년한			

보조기관			협조
국 장	전결		
과 장			
기안책임자	김영준	안보과	

경 유		발신	30185	통제	
수 신	국방부 장관				
참 조	시설국장				
제 목	주한미군사용 시설 구역 현황 조사				

대 : 관재 1261-1502 (79. 8. 2.)
관재 723-07 (81. 7. 10.)

연 : 미안 723-28602 (79. 7. 4.)
미안 723-1266(81. 7. 3.)

주둔군 지위협정 시행과 관련 필요하오니 미군의 아국 주둔과 관련 정부가 제공한 시설 및 구역에 관하여 아래와 같이 구체적으로 통보하여 주시기 바랍니다.

정서

관인

- 아 래 -

발송

1. 소재지별, 지목별, 군별, 용도별 미군사용 시설 및 구역의 면적 및 현시가에 의한 가격 (최신통계)

/후면계속/

0201-1-8 A (갑)
1969. 11. 10. 승인

정직 질서 창조

190㎜×268㎜ (2급인쇄용지 60g/㎡) 조달청

26

2. 군대 지위협정 제 2조 제 1항 (나)에 따라 재 사용권을 유보한 채 반환된 시설 및 구역내용.

3. 연도별 시설 및 구역의 공여 및 반환실태 (특히 미군 철수와 관련). 끝.

0201 - 1 - 43A (2-2)
1972. 12. 29. 승 인

190mm×268mm (2급인쇄용지 60g/m²)
조 달 청 (3,000,000매 인 쇄)

대 한 민 국

외 무 부

미안 723- 720-2239 1982 . 8 . 31 .

수신 국방부 장관

참조 시설국장

제목 주한미군 사용 시설 구역 현황 조사

대 : 관재 1261-1502 (79. 8. 2.)

관재 723-07 (81. 7. 10.)

연 : 미안 723-28602 (79. 7. 4.)

미안 723-1266 (81. 7. 3.)

주둔군 지위협정 시행과 관련 필요하오니 미군의 아국 주둔과 관련 정부가 제공한 시설 및 구역에 관하여 아래와 같이 구체적으로 통보하여 주시기 바랍니다.

- 아 래 -

1. 소재지별, 지목별, 군별, 용도별 미군사용 시설 및 구역의 면적 및 현시가에 의한 가격 (최신통계)

2. 군대 지위협정 제 2조 제 1항 (나)에 따라 재 사용권을 유보한 채 반환된 시설 및 구역 내용.

3. 연도별 시설 및 구역의 공여 및 반환실태 (특히 미군 철수와 관련). 끝.

외 무 부 장

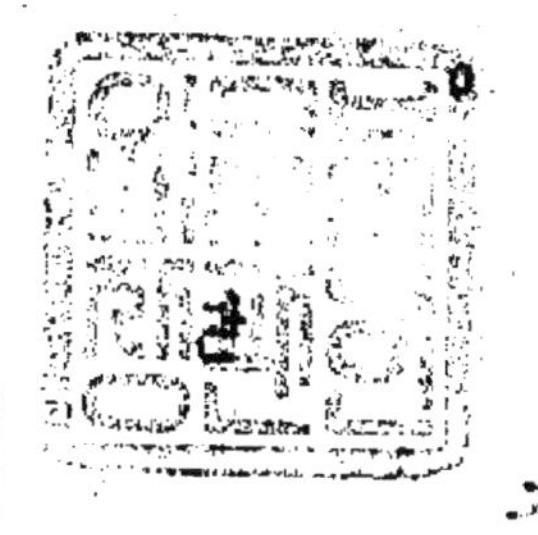

정부 공문서 규정 제27조 제2항의 규정 에의하여
미 주 국 장 김 석 규 전결

기 안 용 지

분류기호 문서번호	미안 723-	(전화번호)	전결규정 조 항 전결사항
처리기간		장 관	
시행일자	82. 10. 29.		
보존년한			
보조기관 국 장	전결		협조
과 장			
기안책임자	김영준	안보과	
경유			통제 검열 1982.10.30 통제관
수신	국방부 장관	발신 37867	
참조	정책기획관		
제목	한.미 군사 당국간 양해각서		

대 : 국외 911-171 (82. 6. 16.)

연 : 미안 723-24950 (82. 7. 22.)

미안 723-47842 (81. 12. 23.)

1. 한.미 주둔군 지위협정 (SOFA) 합동위원회 미측 간사에 의하면 현재 한.미 양 군사 당국간에 별첨 양해각서 체결을 위한 협의가 진행되고 있다고 하고 동 각서의 서명에 이의가 없는지 문의하여 왔는바 이에대한 귀부의 견해를 회보하여 주시기 바랍니다.

2. 이와 관련 연호로 통보한바와 같이 (양국) 군사 당국간의 모든 각서는 당부와 사전 협의를 거쳐 체결토록 조치하여 주시기

/후면 계속/

정서 / 관인 / 발송

0201-1-8A(갑) 1969. 11. 10. 승인 정직 질서 창조 190mm×268mm(2급인쇄용지 60g/㎡) 조달청

29

바랍니다.

첨부 : 동 양해각서 사본 1부. 끝.

0201 - 1 - 43A (2 - 2)
1972. 12. 29. 승 인

190mm×268mm (2급인쇄용지 60g/m²)
조 달 청 (3,000,000매 인 쇄)

30

협 조 문	응신기일 198 . . .

분류기호 및 문서번호	미안 723-70	제 목	한.미 군시당국간 양해각서
수 신	국제기구조약국장		발신일자:1982 . 10 . 29 .

한.미 주둔군 지위협정 (SOFA) 합동위원회 미측 간사는 1979. 3. 16. 발효된 "전개훈련을 위한 미 공군전술항공통제 대대의 R - 203 비행장 사용에 관한 미 공군과 한국육군간의 양해각서"를 개정하기 위해 한.미 양군사 당국간에 협의를 하고 있다고 하고 별첨 개정 각서안에 대해 의견을 문의하여 왔는바 이에대한 귀견을 회보하여 주시기 바랍니다.

첨부 : 동 양해각서 사본 1부. 끝.

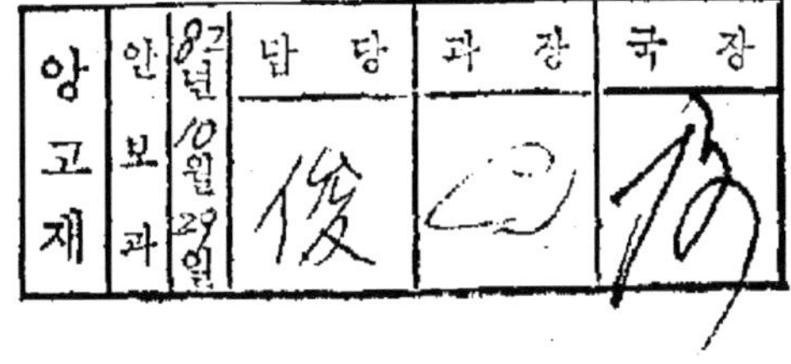

양고재	안보과	82년 10월 29일	담 당	과 장	국 장
			俊		

미 주 국 장

1205-8A
1981. 12. 1승인

190mm×268mm(인쇄용지(2급)60g/m²)
조 달 청 (230,000 매 인 쇄)

31

JOINT COMMITTEE
UNDER
THE REPUBLIC OF KOREA AND THE UNITED STATES
STATUS OF FORCES AGREEMENT

29 October 1982

Dear Director KWON:

In accordance with procedures agreed to by the Joint Committee at its 135th meeting in April 1980, submitted herewith for your review is an unsigned Memorandum or Understanding (MOU) between the United States Air Force and the Republic of Korea Army concerning the use of R-203 Airfield by the US Air Force Tactical Air Control Squadron for deployment and operational readiness exercises. The attached MOU is a revision of MOU FB5294-MOUI-2019 which was effective 16 March 1979. Your review of the MOU and any pertinent comments are respectfully requested. Based on your concurrence in the text of the MOU, we shall so inform the negotiating parties and request their finalization of and signatures to the MOU, with a possible subsequent recording of the MOU in Joint Committee minutes.

Respectfully,

Carroll B. Hodges
CARROLL B. HODGES
US Joint Committee Secretary

1 Incl
as

Mr. KWON Soon Tae
Republic of Korea
Joint Committee Secretary
Seoul, Korea

32

공 란

공 란

공 란

공 란

공 란

공　　　란

공 란

都市再開発基金 事業査定

豫算額	事業內容		備考
既定 36,790,000	1. 銅雀大橋 建設 委託 (大宇開発)	600.000	서울특별시는 外務部에 要請하여 韓美行政協定에 依한 韓美合同委員會에 付議케 한 건. 그 결과에 따라 本件은 決定되도록 할 이유 있음.
	(總 250億 10月初 着工)		
·要求 3,893,000			
	2. 2号線 駅舎連結 地下商街 步道 委託 (3個所)	1.700.000	
·增減 △ 50,000			
·査定 3,843,000			
追更 40,633,000			

	駅舎	規模	總所要	'78	將來	備考
2	교대駅 앞	2,233 坪	3,300,000千원	300.000	3,000.000	東亜建設
3	市外버스터미널앞	3,214 "	4,800.000 "	650.000	4,150.000	천일産業
4	江南駅 앞	3,505 "	5,100.000 "	750.000	4,350.000	大宇開発
	計	5,447 "	13,200.000 "	1,700.000	11,500.000	

事業內容		備考
3. 遞信共同溝 設置 委託 (遞信部)	543.000	
(聖水洞1街 ~ 遞信아파트 間 總8.3億 2,353m)		今回 (660m - 243백만원
(교대 ~ 新林洞 間 總169 " 17,000m)		450m - 300백만원)
4. 道路掘鑿復旧費 追加	1.000.000	
(既定 10億 執行完了)		
5. 明洞 地下道 建設 精算金返還	△ 50.000	
(執行残額 豫算)		

40

국무총리행정조정실

[78. 10. 10. " 회의시 수령.]

국　　　　　방　　　　　부

(792-7462)

국외 011- 310　　　　　　　　　　　　　　　　　　1982. 11. 5

수신　외무부 장관

참조　미주 국장

제목　한.미 군사 당국간 양해각서 체결 문제

1. 미안 723-37867('82.10.30)에 관련입니다.

2. 상기 미공군과 한국 육군간 미공군 전술통제대대의 R-203비행장 사용에 관한 양해각서 체결문제는 당부 체결 절차상 육군 예하 소관부대에서 미측과 충분히 협의한 후, 소정절차에 따라 처리되어야 할 사항임을 통보합니다.　　끝.

국　　　방　　　부　　　장　　　관

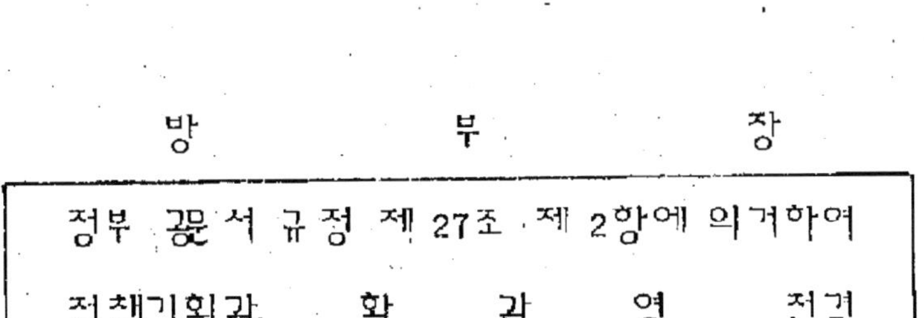
정부 공문서 규정 제27조 제2항에 의거하여

정책기획관　황　관　영　전결

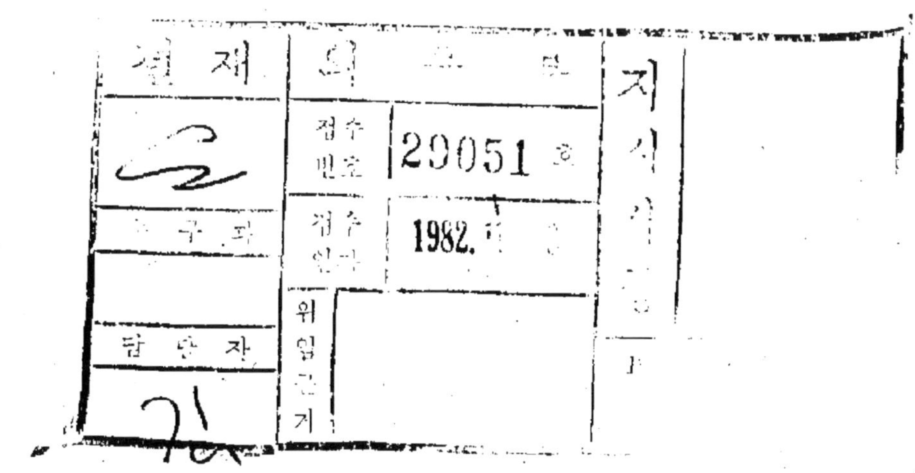

42

국 방 부

관제 123 -1686 82. 11. 13

수신 외무부 미주국 안보과장

제목 제142차 한미시설 및 구역분과위원회 회의 개최통보

1. 제142차 한미시설 및 구역분과 위원회 회의를 아래와같이 개최하오니 각 위원께서는 참석하여 주시기 바랍니다.

아 래

가. 일시 : 1982. 11. 24 11:00

나. 장소 : 미8군 회의실

다. 의제 : 주한미군 시설과 구역의 토지공여 및 해제반환과 미군시설 보호를위한 협의와 기타 제반안건 - 87건

2. 금번회의는 주한미군측에서 주관하므로 각위원께서는 미8군 영내 출입시 이용하실 차량번호를 유선(792-6331)으로 알려주시기 바랍니다.

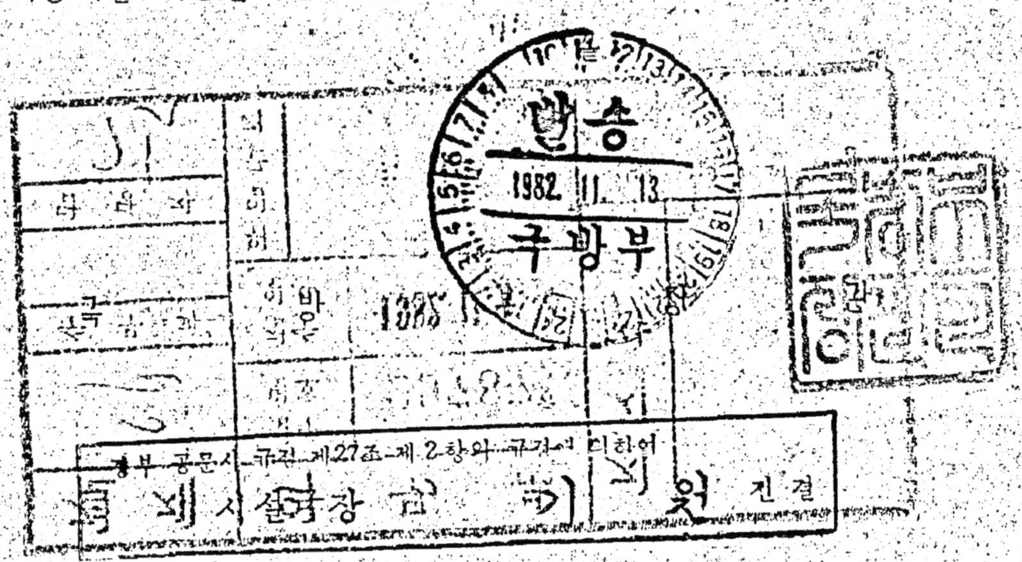

43

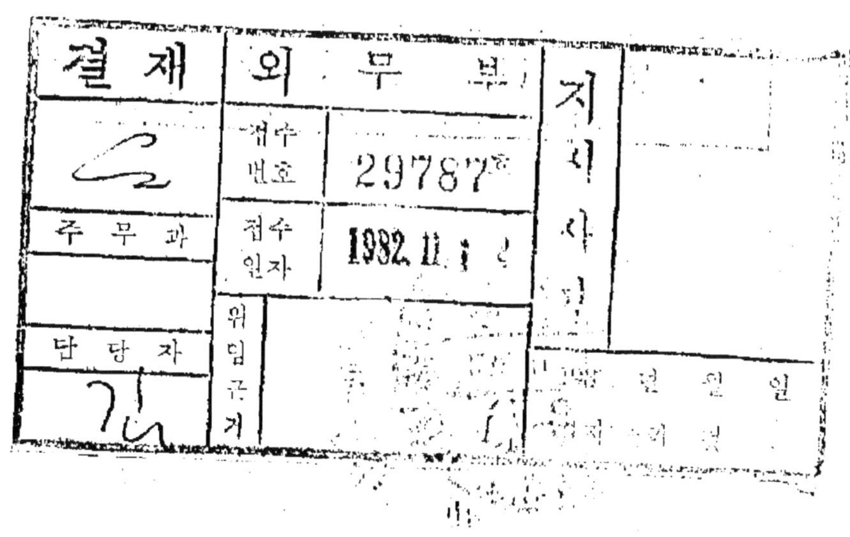

결 재	외 무 부		지 시 사 항
	접수번호	29787	
주 무 과	접수일자	1982. 11. 1	
	위임근거		년 월 일
담 당 자			

44

공 란

공 란

공 란

공 란

공 란

공　　　　란

공 란

공 란

공 란

공 란

공 란

공　　란

공 란

공 란

공　　　란

공 란

공 란

외교문서 비밀해제: 주한미군지위협정(SOFA) 31
주한미군지위협정(SOFA) 노무 · 시설 분과위원회 2

초판인쇄 2024년 03월 15일
초판발행 2024년 03월 15일

지은이 한국학술정보(주)
펴낸이 채종준
펴낸곳 한국학술정보(주)
주 소 경기도 파주시 회동길 230(문발동)
전 화 031-908-3181(대표)
팩 스 031-908-3189
홈페이지 http://ebook.kstudy.com
E-mail 출판사업부 publish@kstudy.com
등 록 제일산-115호(2000. 6. 19)

ISBN 979-11-7217-042-4 94340
979-11-7217-011-0 94340 (set)

책에 대한 더 나은 생각, 끊임없는 고민, 독자를 생각하는 마음으로 보다 좋은 책을 만들어갑니다.